# Graded Chinese Reader 2000 Words

Selected Abridged Chinese Contemporary Short Stories

## 汉语分级阅读·2000词

史迹 编著

First Edition 2007
Revised Edition 2014
Fifth Printing 2019

ISBN 978-7-5138-0730-2

Published by Sinolingua Co., Ltd
24 Baiwanzhuang Road, Beijing 100037, China
Tel: (86) 10-68320585 68997826
Fax: (86) 10-68997826 68326333
http://www.sinolingua.com.cn
E-mail: hyjx@sinolingua.com.cn
Facebook: www.facebook.com/sinolingua
Printed by Beijing Jinghua Hucais Printing Co., Ltd

*Printed in the People's Republic of China*

# 目录
# Contents


V Preface

IX 前言 (Qiányán)

1 一、人民的鱼 (Yī, Rénmín de Yú)

39 二、公园里发生了什么？ (Èr, Gōngyuán Li Fāshēngle Shénme?)

73 三、春天的一个夜晚 (Sān, Chūntiān de Yí Gè Yèwǎn)

125 四、早安，北京 (Sì, Zǎo'ān, Běijīng)

189 五、冰雪美人 (Wǔ, Bīngxuě Měirén)

235 六、爱情故事 (Liù, Àiqíng Gùshi)

# Preface

It is an established fact that reading practice is effective in improving one's proficiency in a foreign language. Thus, for students of Chinese as a foreign language, learning how to read Chinese is essential to the process of becoming familiar with Chinese words. To become effectively literate, students need to have a command of about 3000 to 5000 Chinese words. However, mastering such a large amount of Chinese vocabulary can be quite a significant burden. But students are eager to read in Chinese even with a limited amount of vocabulary. I once taught in the Chinese Department of Venice University and found that the students needed simple Chinese materials to improve their reading ability. This series, Graded Chinese Readers, is made up of such simple reading materials which have been specifically designed for students of Chinese as a foreign language to help them improve their reading comprehension. These materials can be useful both inside and outside the classroom.

Readability and language practicability are characteristics of the simplified stories in this series, which are based on contemporary Chinese novels and some are prize-winning literary works. The stories describe Chinese people's lives and the various social changes that have occurred since the 1980s in China. By reading these literary works, students of Chinese as a foreign language can gain a better knowledge of the everyday lives of the Chinese people. In order to help readers have a better comprehension of these works, each story has a "Guide to reading" which appears before the main text. Questions based on the texts and brief introductions to the authors are also included following the stories.

The series includes *Graded Chinese Reader 500 Words*, *Graded Chinese Reader 1000 Words*, *Graded Chinese Reader 1500 Words*, *Graded Chinese Reader 2000 Words*, *Graded Chinese Reader 2500 Words* and *Graded Chinese Reader 3000 Words*. *Graded Chinese Reader 2000 Words* is the fourth book of the series. The stories have been selected from a range of contemporary short stories and novellas. The vocabulary is limited to about 2000 common Chinese words, which are mainly based on the 2500 Chinese words listed in the Chinese Proficiency Test Syllabus Level 5. In each story, words outside of these above mentioned categories, such as more advanced words, proper nouns, idioms, and complex sentence structures, are explained in notes at the side of each page along with some examples.

In *Graded Chinese Reader 2000 Words*, the most common words appear frequently in the text so that students can memorize them more efficiently. Additionally, the sentences are reasonably short, sentence structures are complete, complex sentences are avoided, and pinyin is provided so that students can easily master each word's pronunciation and be able to look each character up in a dictionary. Each story has its own notes so that readers may choose whichever story they wish to read without having to refer to other stories' notes. In order to improve students' listening comprehension, CDs in MP3 format are attached to the book. Furthermore, a pinyin-invisible card is designed specially for those who wish to read only the characters. In addition, the stories are all illustrated with pictures, which will help students better understand the plot of each story. The main goal of *Chinese Graded Reader 2000 Words* is to reduce the difficulty of Chinese reading for students and to enhance their reading and listening abilities.

I would like to thank the School of Foreign Languages of Southwest Jiaotong University and my publisher Sinolingua for their helpful support, Professor Abbiati Magda of the Chinese Department of Venice University for all the valuable ideas she gave me when I was preparing the series, all the Chinese contemporary writers for their permission to adapt their works in the book, Fu Mei, Director of the Editorial Department and my editor Lu Yu, of Sinolingua, for their constructive suggestions and sincere help, and my friends Peter Moon and Pat Burrows for their suggestions. I would also like to thank my readers and all of the many other people who helped me, directly or indirectly, in the development of this book.

I sincerely welcome constructive criticism and helpful suggestions from both our esteemed colleagues and, of course, students of the Chinese language. We hope that this series, Graded Chinese Readers, will be helpful to all CFL students and readers.

The author can be contacted at: shiji0612@126.com

Shi Ji

July 2014

# 前　言

众所周知，通过阅读提高语言水平历来是被广为接受的、有效的语言学习途径。对于以汉语为外语的学生来说，通过汉语阅读来学习汉语词汇是非常重要的学习途径。通常情况下，要读懂一般的汉语材料，需要掌握3000至5000个汉语词汇。然而，外国学生要掌握3000个常用词难度非常大。但是学生们却渴望用他们有限的词汇进行汉语阅读。本人在威尼斯大学中文系任教期间，了解到学生们很需要这方面的阅读材料来提高他们的阅读能力。《汉语分级阅读》系列就是为世界各国汉语学习者编写的简易读本。《汉语分级阅读》系列的主要目的是帮助学生提高汉语阅读能力。该系列既可以作为课堂的汉语阅读教材，也可作为课外的汉语泛读材料。

《汉语分级阅读》系列所选的故事主要是中国当代作家的中短篇小说，有些是获奖作品。所选作品重点突出了作品的可读性和语言的实用性。通过阅读，学生可以在一定程度上了解现在中国人的生活，了解自20世纪80年代至今中国发生的各种社会变化。为了让学生更充分理解故事内涵，在阅读之前有英文的“阅读指导”，阅读之后有思考题和英文的作家介绍。

《汉语分级阅读》系列包括《汉语分级阅读·500词》,《汉语分级阅读·1000词》(原名《汉语分级阅读3》),《汉语分级阅读·1500词》,《汉语分级阅读·2000词》(原名《汉语分级阅读1》),《汉语分级阅读·2500词》和《汉语分级阅读·3000词》(原名《汉语分级阅读2》)。《汉语分级阅读·2000词》是《汉语分级阅读》系列的第四本。本书的故事选自中国当代的短篇小说。这些故事描写了自20世纪80年代至今的中国人的生活和中国社会发生的各种变化。《汉语分级阅读·2000词》的词汇量限定在2000个汉语常用词，主要根据《新汉语水平考试大纲HSK五级》限定的2500词进行编写。对每篇故事中超出上述词汇以外的词、难词、专有名词、俗语及难句都进行了旁注，一些常用词给出了例句。

《汉语分级阅读·2000词》在编写过程中，尽量增加常用词的复现率，以此增强读者对汉语常用词的理解与记忆。句子力求简短，结构完整，尽量避免结构复杂的长句。故事正文均配上拼音，使学生尽可能地通过读音记忆词义和查阅词典。为方便读者能够按自己的兴趣任意挑选某篇故事去阅读，注释都是以单篇故事为单位重复出现的。为提高学生的听力水平，本书配有MP3格式的CD光盘；为适应学生的不同需求，本书配有可以隐去拼音的拼音隐形卡。除此之外，每篇故事还配有插图，以帮助学生更直观地了解故事内容。《汉语分级阅读·2000词》编写的宗旨是进一步降低汉语阅读的难度，帮助学生提高汉语阅读和汉语听力的水平。

《汉语分级阅读》系列的编写得到各界人士的关心和支持。非常感谢西南交通大学外语学院的领导和华语教学出版社的支持；感谢威尼斯大学中文系Abbiati Magda教授对本书的关心和指导；感谢为本书提供作品的当代作家们；感谢华语教学出版社编辑部主任付眉及编辑陆瑜对本书提出的宝贵意见和热情帮助；感谢朋友Peter Moon和Pat Burrows提出宝贵意见；感谢读者对《汉语分级阅读》系列的厚爱和提出的宝贵意见；感谢曾经以不同方式直接或间接帮助我完成本书的所有朋友们。对于你们的帮助，本人在此谨表示衷心的谢意。

我真诚希望《汉语分级阅读》系列能成为世界各国汉语初学者的良师益友，并希望广大读者和同人不吝赐教。

作者邮箱：shiji0612@126.com

史　迹

2014 年 7 月

Yī , Rénmín de Yú
# 一、人民的鱼

Yuánzhù: Sū Tóng
原著：苏童

東風魚头馆
福

# 一、人民的鱼

## Guide to reading:

This story describes the changes of Chinese people in terms of mentality since the 1980s through the traditions related to fish. In Chinese language, the pronunciation of 鱼 (yú, fish) is the same as 余 (yú). 余 implies "surplus of money." For this reason, during the Spring Festival in China, people like to say, "May you have fish every year." Prior to the 1980s, fish was very expensive and often presented as a gift for someone special. People regard fish as the main dish on the eve of the Chinese New Year. Nowadays fish is very popular on the dinner table and people often order fish in restaurants. This story not only describes the profound social changes, but also describes changes among personal relationships. Compared with the ever increasing indifference seen in many human relationships in modern society, the story also reveals the human kindness of Chinese culture. Through this story of fish, readers can see how the society and the life of people have changed over the last twenty years.

## 故事正文：

Zài Zhōngguó nánfāng de yí zuò
在中国南方的一座

chéngshì li, yǒu yì tiáo jiē jiào Xiāngchūnshù
城市里，有一条街叫香椿树

Jiē. Chūnjié kuài yào dào le, rénmen kāishǐ
街[1]。春节快要到了，人们开始

zhǔnbèi guò Chūnjié le. Chūnjié shì Zhōngguó zuì
准备过春节了。春节是中国最

zhòngyào de jiérì. Chūnjié yìbān shì zài měi
重要的节日。春节一般是在每

nián de yīyuè huòzhě èryuè. Guò Chūnjié yě
年的一月或者二月。过春节也

jiào guònián. Zhōngguórén guò Chūnjié dōu xǐhuan
叫过年。中国人过春节都喜欢

chī yú. Rénmen guò Chūnjié xǐhuan chī yú, shì
吃鱼。人们过春节喜欢吃鱼，是

yīnwèi Hànzì "yú" hé "yú" de fāyīn
因为汉字“鱼”和“余”的发音

yíyàng, "niánnián yǒu yú" tīng qǐlai jiù shì
一样，“年年有鱼”听起来就是

"niánnián yǒuyú". "Niánnián yǒuyú" de yìsi
“年年有余”。“年年有余”的意思

shì niánnián shēnghuó fùyù, niánnián yǒu qián,
是年年生活富裕[2]，年年有钱，

niánnián shēnghuó de hǎo. Rénmen Chūnjié xǐhuan
年年生活得好。人们春节喜欢

chī yú, jiùshì yīnwèi rénmen xīwàng zài xīn de
吃鱼，就是因为人们希望在新的

---

1 **香椿树街**: the name of a street
**香椿树**: Chinese Toon (a type of tree)

2 **富裕**: wealthy; rich
e.g. 人们一天天地富裕起来。
e.g. 他们家的孩子很多，生活不富裕。

yì nián li "yǒu qián", xīwàng yì nián dōu néng
一年里"有钱",希望一年都能
shēnghuó de hěn hǎo.
生活得很好。

Zài 80 niándài yǐqián, yú hěn guì, rénmen
在80年代以前,鱼很贵,人们
hěn shǎo chī yú. Kěshì guònián de shíhou,
很少吃鱼。可是过年的时候,
zhù zài Xiāngchūnshù Jiē shang de Jū Línshēng de
住在香椿树街上的居林生的
jiāli huì yǒu hěn duō de yú. Zhè shì yīnwèi
家里会有很多的鱼。这是因为
Jū Línshēng shì gànbù, hěn duō rén wèile lā
居林生是干部[1],很多人为了拉
guānxi, jiù bǎ yú zuòwéi lǐwù sòngdào tā
关系[2],就把鱼作为礼物送到他
jiāli.
家里。

Jū Línshēng de línjūmen zài jiēshang
居林生的邻居们在街上
tánzhe zhè jiàn shìqing, tāmen rènwéi zhè hěn bù
谈着这件事情,他们认为这很不
gōngping. Tāmen Kànjian māo zài jiēshang pǎo, jiù
公平。他们看见猫在街上跑,就
jīfěng de shuō: "Kànjianle méiyǒu, jiēshang
讥讽[3]地说:"看见了没有,街上
de māo dōu wǎng Jū Línshēng de jiā pǎo ne."
的猫都往居林生的家跑呢。"[4]

Xiāngchūnshù Jiē shang, gěi Jū Línshēng sòng yú
香椿树街上,给居林生送鱼

1 **干部**: personnel who assume the office of leadership, management, official positions, etc.
e.g. 大干部 (an official of high rank), 小干部 (an official of low rank), 工会干部 (union official), 街道干部 (an officer who is in charge of neighborhood service)

2 **拉关系**: to cotton up to
e.g. 有的人喜欢送礼拉关系。

3 **讥讽**: sarcastically

4 This sentence implies that Ju Linsheng's house has so many fish that it attracts cats. His neighbors often mock him when so many people give him more fish.

de rén láiláiwǎngwǎng. Duōshao yú a! Yǒude
的人来来往往。多少鱼啊！有的
yú shì cóng xiǎo qìchē shàng xiàlai de, yǒude
鱼是从小汽车上下来的，有的
yú shì zuò miànbāochē lái de, yě yǒude yú
鱼是坐面包车[1]来的，也有的鱼
shì bèi rén guà zài zìxíngchē shàng, sòngdào Jū
是被人挂在自行车上，送到居
Línshēng jiāli de. Jū Línshēng de jiā yǒu yí
林生家里的。居林生的家有一
gè dà yúchí. Yúchí li yǒu gèzhǒng yú,
个大鱼池[2]。鱼池里有各种鱼，
yǒu qīngyú, cǎoyú, lǐyú, hái yǒu hēiyú,
有青鱼、草鱼、鲤鱼，还有黑鱼，
chàbuduō dōu shì wǔ jīn yǐshàng de dà yú.
差不多都是五斤以上的大鱼。
Nàme duō de yú zài Jū Línshēng jiāli, yǒude
那么多的鱼在居林生家里，有的
tǎngzhe, yǒude bèi guàzhe, dōu shì Jū Línshēng
躺着，有的被挂着，都是居林生
shōudào de Chūnjié lǐwù. Yǒude yú sǐ le,
收到的春节礼物。有的鱼死了，
yǒude yú tǎng zài dìshang zhāngzhe zuǐ, zhēngzhe
有的鱼躺在地上张着嘴，睁着
yǎnjing. Yúmen bù zhīdao tāmen chéngle rénmen
眼睛。鱼们不知道它们成了人们
de Chūnjié lǐwù. Rénmen rènwéi yú shì zuì
的春节礼物。人们认为鱼是最
jíxiáng de lǐwù. Zài Chūnjié qián, zài hánlěng
吉祥[3]的礼物。在春节前，在寒冷

1 **面包车**: minibus
2 **鱼池**: fish pool
Here it is used as a hyperbole, which describes there is so many fish in Ju Linsheng's home.
3 **吉祥**: fortunate; auspicious
e.g. 吉祥如意 (good luck)。

de jiēshang, rénmen dàizhe yú láiláiwǎngwǎng,
的街上，人们带着鱼来来往往，
sònglái sòngqù. Dōngtiān de Xiāngchūnshù Jiē kàn
送来送去。冬天的香椿树街看
qǐlai hěn rènao. Rénmen xǐhuan shuō, "niánnián
起来很热闹。人们喜欢说，“年年
yǒu yú, niánnián yǒuyú", lián xiǎoxuéshēng dōu
有鱼，年年有余”，连小学生都
dǒngde "yú" shì "yú" de yìsi.
懂得“鱼”是“余”的意思。

Yí dào guònián, Jū Línshēng jiā de kèren
一到过年，居林生家的客人
jiù duō qǐlai le. Kèrenmen láiláiwǎngwǎng,
就多起来了。客人们来来往往，
jìnjìnchūchū, zǒngshì búduàn. Nàge shíhou,
进进出出，总是不断。那个时候，
Jū Línshēng suīrán shì gè xiǎo gànbù, dànshì zài
居林生虽然是个小干部，但是在
zhè tiáo jiēshang tā kě shì zuì dà de gànbù
这条街上他可是最大的干部
le. Rénmen chángcháng kànjian Jū Línshēng hé tā
了。人们常常看见居林生和他
de qīzi chūlai sòng kèren. Tā de qīzi
的妻子出来送客人。他的妻子
jiào Liǔ Yuèfāng, shì yí gè jiēdào gànbù.
叫柳月芳，是一个街道干部。
Wǎnshang, Jū Línshēng hé qīzi chángcháng
晚上，居林生和妻子常常
zhàn zài ménkǒu sòng kèren, yǒu shíhou shì Jū
站在门口送客人，有时候是居

Línshēng sòng kèren , yǒu shíhou shì Liǔ Yuèfāng
林生送客人，有时候是柳月芳
sòng kèren . Duì zhòngyào de kèren , tāmen
送客人。对重要的客人，他们
fūqī liǎ jiù yìqǐ chūlai sòng . Jū Línshēng
夫妻俩就一起出来送。居林生
de dùzi hěn dà , kàn qǐlai zhēn xiàng shì
的肚子[1]很大，看起来真像是
yí gè dà gànbù . Zài sòng kèren de shíhou ,
一个大干部。在送客人的时候，
Jū Línshēng hěn suíbiàn , tā chángcháng shǒuli
居林生很随便，他常常手里
názhe yáqiān tī yá , tǐngzhe dà dùzi ,
拿着牙签剔牙[2]，挺着大肚子，
huīshǒu xiàng kèren gàobié . Liǔ Yuèfāng sòng
挥手向客人告别。[3]柳月芳送
kèren bǐjiào yǒu lǐmào . Tā chángcháng zhàn zài
客人比较有礼貌。她常常站在
ménkǒu , rèqíng de xiàozhe , dàjiā dōu néng
门口，热情地笑着，大家都能
qīngchu de tīngjian tā duì kèren shuō : " Guònián
清楚地听见她对客人说："过年
lái wǒ jiā chī fàn , yídìng yào lái a ! Rúguǒ
来我家吃饭，一定要来啊！如果
nǐmen bù lái , wǒ huì shēngqì de ! "
你们不来，我会生气[4]的！"

Hǎo dōngxi duōle yě hěn máfan . Yào
好东西多了也很麻烦。要
xǐ nàme duō de yú , Liǔ Yuèfāng tài máng
洗那么多的鱼，柳月芳太忙

1 **肚子**: belly
2 **剔牙**: pick one's teeth
3 This sentence describes the manner of Ju Linsheng vividly. He acts as if he were some one special.
4 **生气**: angry
e.g. 孩子不听话，妈妈很生气。

le . Tā de gōngzuò shì hé rén yǒu guānxi
了。她的工作是和人有关系
de , xiànzài tā què zhěngtiān hé yú zài yìqǐ .
的，现在她却整天和鱼在一起。
Zài zhème duō yú dāngzhōng , Liǔ Yuèfāng zuì
在这么多鱼当中，柳月芳最
xǐhuan hēiyú , yīnwèi hēiyú hěn tǐtiē tā .
喜欢黑鱼，因为黑鱼很体贴她。
Liǔ Yuèfāng bǎ hēiyú fàng zài shuǐli , hēiyú
柳月芳把黑鱼放在水里，黑鱼
jiù zìjǐ yóu le , hǎoxiàng zài shuō : " Nǐ
就自己游了，好像在说："你
máng ba , wǒ hǎo yǎng , shénme shíhou chǔlǐ
忙吧，我好养[1]，什么时候处理
wǒ dōu kěyǐ . " Qítā de yú dōu zhēngzhe
我都可以。"其他的鱼都睁着
dà yǎnjing , kànzhe Liǔ Yuèfāng shǒuli de dāo ,
大眼睛，看着柳月芳手里的刀，
tāmen hǎoxiàng shuō : " Lái ba ! Wǒ bú pà
它们好像说："来吧！我不怕
sǐ , pà sǐ wǒ jiù bú shì yú le ! "
死，怕死我就不是鱼了！"[2]
Nàxiē yú bù néng yǎng , yě yǎngbuhuó , fēi
那些鱼不能养，也养不活，非
shā bùkě le . Liǔ Yuèfāng bǎ yú yì tiáo
杀[3]不可了。柳月芳把鱼一条
yì tiáo de nádào chúfáng li qù , shā yú ,
一条地拿到厨房里去，杀鱼、
xǐ yú dōu shì tā yí gè rén zuò . Tā ràng
洗鱼都是她一个人做。她让

1 **养**: to raise; to grow
e.g. 他喜欢狗，他养了三条狗。
e.g. 她喜欢花，她养了很多花。

2 This is a personification to make the sentence sound humorous.

3 **杀**: to butcher
e.g. 要过年了，村子里的人都在杀猪、杀鸡、杀鱼。

tā de zhàngfu Jū Línshēng bāng tā, kěshì Jū
她的丈夫居林生帮她，可是居
Línshēng bènshǒu-bènjiǎo de, bǎ zìjǐ de shǒu
林生笨[1]手笨脚的，把自己的手
nòngpò le. Zhè yě bù qíguài, yí gè bú
弄破了。这也不奇怪，一个不
huì zuòshì de nánrén, zěnme huì shā yú ne!
会做事的男人，怎么会杀鱼呢！
Liǔ Yuèfāng zhǐhǎo ràng tā huí fángjiān li qù
柳月芳只好让他回房间里去
kàn diànshì. Tā jiào érzi chūlai, érzi bù
看电视。她叫儿子出来，儿子不
gāoxìng de shuō: "Ràng nǐmen bǎ yú sònggěi
高兴地说："让你们把鱼送给
biéren, nǐmen bú sòng, xiànzài zhème duō yú
别人，你们不送，现在这么多鱼
zài jiāli, tiāntiān chī yú, chī de tóufa
在家里，天天吃鱼，吃得头发
shàng dōu shì yúwèir le. Wǒ chī yú dōu
上都是鱼味儿[2]了。我吃鱼都
chīgòu le."
吃够了。"

Liǔ Yuèfāng zhǐhǎo yí gè rén xǐ nàme
柳月芳只好一个人洗那么
duō de yú, tā tài lěi le. Tā yìbiān nòng
多的鱼，她太累了。她一边弄
yú yìbiān bù gāoxìng de shuō: "Zhèxiē rén
鱼一边不高兴地说："这些人
zěnme zhème bèn, jiù zhīdao sòng yú, wèi
怎么这么笨，就知道送鱼，为

1 **笨**: stupid; foolish
e.g. 他很笨。
e.g. 居林生不会洗鱼，他做事笨手笨脚的。
2 **鱼味儿**: the smell of fish

shénme bú sòng diǎn biéde dōngxi ne? Jīnnián
什么不送点别的东西呢？今年
guònián wǒmen jiā méiyǒu yāzi, zěnme méiyǒu
过年我们家没有鸭子，怎么没有
rén sòng yāzi ne?"
人送鸭子呢？"

Jū Línshēng shuō: "Xiànzài sòng yú hěn
居林生说："现在送鱼很
shímáo. Wǒ zěnme néng gàosu biéren, wǒ
时髦[1]。我怎么能告诉别人，我
jiāli yú tài duō, wǒ jiāli méiyǒu yāzi,
家里鱼太多，我家里没有鸭子，
nǐmen sòng yāzi ba! Wǒ gēn biéren néng
你们送鸭子吧！我跟别人能
zhèyàng shuō ma? Zhèyàng shuō, dàjiā hái bú
这样说吗？这样说，大家还不
xiào wǒ?"
笑我？"

Liǔ Yuèfāng shuō: "Sòng yāzi yě bù hǎo,
柳月芳说："送鸭子也不好，
shā qǐlai hěn máfan. Yǒude rén sònglǐ sòng
杀起来很麻烦。有的人送礼送
de hěn cōngmíng, bú sòng biéde, sòng huǒtuǐ
得很聪明，不送别的，送火腿
hé gānhuò."
和干货[2]。"

Jū Línshēng bù gāoxìng le, tā shēngqì de
居林生不高兴了，他生气地
shuō: "Hǎo! Wǒ míngtiān jiù gàosu rénmen, bié
说："好！我明天就告诉人们，别

1 **时髦**: fashion; fad
e.g. 她有很多时髦的衣服。

2 **火腿和干货**: ham and dried foods

sòng yú le, sòng huǒtuǐ hé gānhuò!”
送鱼了，送火腿和干货！”

Liǔ Yuèfāng shuō: “Xiànzài rénmen wèi shénme sòng yú ne? Yú dāngrán hǎo, mǎi yì tiáo dà qīngyú zhìshǎo wǔshí kuài qián, dàn rénmen yě bù néng dōu sòng yú ya, sòng yì tiáo yú, hái bù rú zhíjiē sòng wǔshí kuài qián ne!”
柳月芳说：“现在人们为什么送鱼呢？鱼当然好，买一条大青鱼至少五十块钱，但人们也不能都送鱼呀，送一条鱼，还不如直接送五十块钱呢！”

Jū Línshēng tīng le, gèng shēngqì le, pǎochū fángjiān, duì qīzi dàshēng shuō: “Hǎo, wǒ ràng tāmen sòng wǔshí kuài qián lái! Nǐ zěnme shénme dōu bù dǒng? Nǐ xiǎng ràng wǒ fàn cuòwù ma?”
居林生听了，更生气了，跑出房间，对妻子大声说：“好，我让他们送五十块钱来！你怎么什么都不懂？你想让我犯错误吗？”

Liǔ Yuèfāng kàndào zhàngfu shēngqì le, zhīdao zìjǐ shuō de tài duō le. Jū Línshēng méiyǒu dǒng tā shuō de huà. Jū Línshēng juéde Liǔ Yuèfāng shuō tā bù nénggàn, cái shēngqì de.
柳月芳看到丈夫生气了，知道自己说得太多了。居林生没有懂她说的话。居林生觉得柳月芳说他不能干，才生气的。

Liǔ Yuèfāng xiàozhe bǎ tā tuījìn wūli, shuō:
柳月芳笑着把他推进屋里，说：
"Nǐ zhè gè rén, shénme shì dōu rènzhēn, wǒ
"你这个人，什么事都认真，我
zài jiāli suíbiàn shuōshuō, nǐ yě shēngqì."
在家里随便说说，你也生气。"

Suīrán Liǔ Yuèfāng hěn nénggàn, dànshì,
虽然柳月芳很能干，但是，
yú tài duō le, tā tài lèi le. Tā chūmén
鱼太多了，她太累了。她出门
rēngle yí dà pén yú de zāng dōngxi, tūrán
扔了一大盆鱼的脏东西，突然
xiǎng qǐlai, tā jiāli yān yú de gāng bú
想起来，她家里腌鱼[1]的缸[2]不
gòuyòng, jiù dào tā de línjū Zhāng Huìqín
够用，就到她的邻居张慧琴
nàr jiè gāng. Zhāng Huìqín shuō: "Nǐ
那儿借缸。张慧琴说："你
shìbushì yān yú a? Zhěng tiáo jiē dōu shì nǐ
是不是腌鱼啊？整条街都是你
jiā de yúxīngwèir, jiēshang de māo dōu wǎng
家的鱼腥味儿，街上的猫都往
nǐ jiāménkǒu pǎo ne!"
你家门口跑呢！[3]"

Liǔ Yuèfāng bù xiǎng ràng biéren zhīdao tā
柳月芳不想让别人知道她
jiā de yú duō, shuō: "Wǒjiā zhǐ yǒu jǐ tiáo
家的鱼多，说："我家只有几条
yú, zěnme huì zhěng tiáo jiē dōu shì
鱼，怎么会整条街都是

1 腌鱼: make dried and salted fish
2 缸: a jar made of pottery used to preserve vegetables, meat, etc.
3 These two sentences are hyperbole which implies that Liu Yuefang's family have so many fish that they have fish smell everywhere, and the whole street is even filled with fish smell.

yúxīngwèir ne? Wǒ zhàngfu zuì bù xǐhuan
鱼腥味儿呢？我丈夫最不喜欢
biéren sònglǐ le. Tā yě bù xǐhuan chī yú.
别人送礼了。他也不喜欢吃鱼。
Wǒ jiè gāng shì yān cài yòng de." Liǔ Yuèfāng
我借缸是腌菜用的。”[1] 柳月芳
jièle gāng, wàngle bǎ pén náhuí jiā. Hòulái
借了缸，忘了把盆拿回家。后来
Zhāng Huìqín jiù lái qiāo mén le.
张慧琴就来敲门了。

Zhāng Huìqín názhe pén zhàn zài ménkǒu,
张慧琴拿着盆站在门口，
kàndào wūzi li guàzhe hěn duō yú. Zhāng
看到屋子里挂着很多鱼。张
Huìqín kàndào zhème duō yú, xiàozhe shuō: "Nǐ
慧琴看到这么多鱼，笑着说：“你
yān zhème duō 'cài' a? Chī yì nián yě
腌这么多‘菜’啊？吃一年也
chībuwán."
吃不完。”

Zhāng Huìqín yǐjīng kàndàole yú, Liǔ
张慧琴已经看到了鱼，柳
Yuèfāng zhīdao bù néng zài shuō yān cài le. Liǔ
月芳知道不能再说腌菜了。柳
Yuèfāng shuō: "Zhèxiē yú shì biéren bāng wǒ mǎi
月芳说：“这些鱼是别人帮我买
de, jiàqian hěn piányi."
的，价钱很便宜。”

Zhāng Huìqín zhīdao Liǔ Yuèfāng méiyǒu shuō
张慧琴知道柳月芳没有说

1 Liu Yuefang does not tell Zhang Huiqin the truth. Her feelings are very complex. Liu Yuefang tries to hide something with her words.

zhēnhuà. Tā xiàozhe shuō: "Nǐ zěnme bú yào
真话。她笑着说："你怎么不要
yútóu ne? Yútóu kěyǐ yìqǐ yān de."
鱼头呢？鱼头可以一起腌的。"
Liǔ Yuèfāng shuō: "Zhème duō yú, wǒ yí
柳月芳说："这么多鱼，我一
gè rén máng bú guòlai." Liǔ Yuèfāng zhīdao
个人忙不过来。"柳月芳知道
Zhāng Huìqín hěn nénggàn, jiù qǐng tā bāngmáng,
张慧琴很能干，就请她帮忙，
ránhòu zhǔnbèi sònggěi tā yì tiáo yú.
然后准备送给她一条鱼。

Dàjiā dōu zhīdao Zhāng Huìqín xǐhuan
大家都知道张慧琴喜欢
bāngzhù rén. Zhāng Huìqín zài Jū Línshēng de
帮助人。张慧琴在居林生的
jiāli, bāngzhù Liǔ Yuèfāng shā yú, xǐ yú.
家里，帮助柳月芳杀鱼、洗鱼。
Tāmen yìbiān gànhuó yìbiān liáotiān. Zhāng Huìqín
她们一边干活一边聊天。张慧琴
shuō: "Nǐ kàn, zhème dà de dà qīngyú,
说："你看，这么大的大青鱼，
kěyǐ chī liǎng tiān ne, nǐ hǎo fúqi ya!"
可以吃两天呢，你好福气[1]呀！"

Liǔ Yuèfāng shuō: "Shénme hǎo fúqi
柳月芳说："什么好福气
a!" Liǔ Yuèfāng míngbai Zhāng Huìqín de
啊！"柳月芳明白张慧琴的
yìsi. Liǔ Yuèfāng kànle yì yǎn Zhāng Huìqín.
意思。柳月芳看了一眼张慧琴。

1 福气：good luck; good fortune

Liǔ Yuèfāng méi shuō shénme, zhàn qǐlai zhǎochū
柳月芳没说什么，站起来找出
le yí gè dà dàizi, náqǐ yì tiáo yú,
了一个大袋子，拿起一条鱼，
shuō: "Bié kèqi, zhè tiáo yú nǐ dàihuí jiā
说："别客气，这条鱼你带回家
qù, gěi nǐ háizi chī ba."
去，给你孩子吃吧。"

Zhāng Huìqín kànle yíxià yú, shuō:
张慧琴看了一下鱼，说：
"Nǐ búyào gēn wǒ kèqi. Búguò, wǒ zhàngfu
"你不要跟我客气。不过，我丈夫
hé háizi gēn māo yíyàng, dōu xǐhuan chī yú.
和孩子跟猫一样，都喜欢吃鱼。
Wǒ jiāli suīrán méiyǒu qián, tāmen què fēicháng
我家里虽然没有钱，他们却非常
xǐhuan chī yú, shénme yú dōu chī."
喜欢吃鱼，什么鱼都吃。"

Liǔ Yuèfāng shuō: "Yú de jiàqian guì, nǐ
柳月芳说："鱼的价钱贵，你
gěi tāmen zuò yú chī, zhēnshì bù róngyì."
给他们做鱼吃，真是不容易。"

Zhāng Huìqín shuō: "Shì a! Wǒ mǎi zuì
张慧琴说："是啊！我买最
piányi de yú gěi tāmen chī. Wǒ zuò de yú
便宜的鱼给他们吃。我做的鱼
hěn hǎochī. Rúguǒ nǐ yuànyi cháng yíxià, nǎ
很好吃。如果你愿意尝一下，哪
tiān, wǒ ràng nǐ chángchang."
天，我让你尝尝。"

Liǔ Yuèfāng tóngyì tā de huà, piányi de
柳月芳同意她的话，便宜的
dōngxi, yě kěyǐ zuòchū hǎochī de cài. Tā
东西，也可以做出好吃的菜。她
kànkan yú xǐ de chàbuduō le, fángjiān li
看看鱼洗得差不多了，房间里
de Jū Línshēng yǐjīng guānshàng le diànshì, yào
的居林生已经关上了电视，要
xiūxi le. Liǔ Yuèfāng kànle yì yǎn ménhòu
休息了。柳月芳看了一眼门后
de pén, tūrán fāxiàn pén li hái yǒu yútóu,
的盆，突然发现盆里还有鱼头，
yě shì zhǔnbèi sòng rén de. Liǔ Yuèfāng xiǎngle
也是准备送人的。柳月芳想了
yíxià, juédìng bǎ yútóu sònggěi Zhāng Huìqín,
一下，决定把鱼头送给张慧琴，
bú sòng biéren le.
不送别人了。

Liǔ Yuèfāng wèn Zhāng Huìqín: "Nǐmen jiā
柳月芳问张慧琴："你们家
chībuchī yútóu? Rúguǒ nǐ yào, jiù sònggěi
吃不吃鱼头？如果你要，就送给
nǐ le."
你了。"

Zhāng Huìqín shuō: "Zěnme bù chī? Wǒ
张慧琴说："怎么不吃？我
zuì ài chī yútóu le."
最爱吃鱼头了。"

Liǔ Yuèfāng jiù bǎ yútóu hé yì tiáo yú
柳月芳就把鱼头和一条鱼

sònggěile Zhāng Huìqín . Dì-èr tiān , Liǔ Yuèfāng
送给了 张 慧琴。第二天，柳 月芳
zǒudào Zhāng Huìqín jiā de chúfáng chuāngkǒu ,
走到 张 慧琴 家 的 厨房 窗口，
wéndào fēicháng xiāng de yúwèir . Tā wǎng
闻到 非常 香 的 鱼味儿。她 往
chúfáng li kànle yíxià , wèn Zhāng Huìqín :
厨房 里 看了 一下，问 张 慧琴：
" Nǐ zuò shénme cài zuò de zhème xiāng ? "
“你 做 什么 菜 做 得 这么 香？”

Zhāng Huìqín shuō : " Shì nǐ gěi wǒ de
张 慧琴 说：“是 你 给 我 的
yútóu ya , jìnlai chángyicháng ba ! "
鱼头 呀，进来 尝一尝 吧！”

Liǔ Yuèfāng shuō : " Wǒ shì bù chī yútóu
柳 月芳 说：“我 是 不 吃 鱼头
de . " Tūrán , Liǔ Yuèfāng juéde zìjǐ yǒudiǎn
的。”突然，柳 月芳 觉得 自己 有点
bèn . Tā wèi shénme yào gàosu Zhāng Huìqín
笨。她 为 什么 要 告诉 张 慧琴
tā bù chī yútóu ne ? Zhāng Huìqín hǎoxiàng
她 不 吃 鱼头 呢？ 张 慧琴 好像
míngbaile shénme , Liǔ Yuèfāng fēicháng hòuhuǐ .
明白了 什么，柳 月芳 非常 后悔[1]。
Tā xīnli xiǎng , bǎ zìjǐ bù xǐhuan chī de
她 心里 想，把 自己 不 喜欢 吃 的
dōngxi sònggěi Zhāng Huìqín , Zhāng Huìqín xīnli
东西 送给 张 慧琴，张 慧琴 心里
yídìng bù gāoxìng .
一定 不 高兴。

1 **后悔**: to regret

e.g. 她没有去看她的朋友，她很后悔。

e.g. 他学习不努力，考试考得不好，他很后悔。

Yīnwèi yútóu de guānxi, Liǔ Yuèfāng hé
因为鱼头的关系，柳月芳和
Zhāng Huìqín liǎng jiā de guānxi fēicháng hǎo.
张慧琴两家的关系非常好。
Méiyǒu yú de shíhou, liǎng gè nǚrén de
没有鱼的时候，两个女人的
guānxi yě hěn hǎo, dànshì yǒule yú zhīhòu,
关系也很好，但是有了鱼之后，
tāmen de guānxi hǎo de jiù xiàng shì jiějie hé
她们的关系好得就像是姐姐和
mèimei.
妹妹。

Tāmen hùxiāng sòng zìjǐ zuò de
她们互相送自己做的
hǎochī de cài. Liǔ Yuèfāng huì zuò yānyú,
好吃的菜。柳月芳会做腌鱼，
zhè shì dàjiā dōu zhīdao de. Měi nián tā yǒu
这是大家都知道的。每年她有
nàme duō de yú, chībuliǎo, jiù yān qǐlai.
那么多的鱼，吃不了，就腌起来。
Hòulái tā zuò de yānyú yuèláiyuè hǎochī.
后来她做的腌鱼越来越好吃。
Dànshì, Zhāng Huìqín bù yíyàng, zhè gè nǚrén
但是，张慧琴不一样，这个女人
zuò shénme dōu hǎochī. Tā zuò de dōngxi, Liǔ
做什么都好吃。她做的东西，柳
Yuèfāng dōu juéde hǎochī. Yǒu yí cì, Liǔ
月芳都觉得好吃。有一次，柳
Yuèfāng qù Zhāng Huìqín de jiā, kànjian tā yí
月芳去张慧琴的家，看见她一

gè rén zài chī fàn, méiyǒu cài, zhǐyǒu yì wǎn
个人在吃饭，没有菜，只有一碗
tāng, Liǔ Yuèfāng chángle yìdiǎn, wèidào zhēn
汤，柳月芳尝了一点，味道真
búcuò.
不错。

Jū Línshēng de péngyou hěn duō, péngyoumen
居林生的朋友很多，朋友们
chángcháng dào tā jiāli chī fàn. Liǔ Yuèfāng
常常到他家里吃饭。柳月芳
chángcháng qǐng Zhāng Huìqín bāngmáng.
常常请张慧琴帮忙[1]。

Zhāng Huìqín yě hěn rèqíng. Dàjiā dōu
张慧琴也很热情。大家都
zhīdao, Zhāng Huìqín zhè gè rén, nǐ yàoshi
知道，张慧琴这个人，你要是
duì tā hǎo, tā shénme dōu yuànyi wèi nǐ zuò.
对她好，她什么都愿意为你做。
Zhāng Huìqín zài Liǔ Yuèfāng jiā de chúfáng li
张慧琴在柳月芳家的厨房里
bāngmáng, jiù xiàng zài zìjǐ jiāli yíyàng.
帮忙，就像在自己家里一样。
Děngdào mángwán le, zhè liǎng gè nǚrén cái
等到忙完了，这两个女人才
kāishǐ chī fàn, dōu shì kèrenmen méi chīwán
开始吃饭，都是客人们没吃完
de dōngxi. Liǔ Yuèfāng juéde zhèyàng zuò bù
的东西。柳月芳觉得这样做不
hǎo, jiù ràng tā dài xiē dōngxi huí jiā qù,
好，就让她带些东西回家去，

1 帮忙: give a hand; do a favor
e.g. 你需要帮忙吗？我不需要，谢谢！
e.g. 我朋友很忙，我来帮忙。

kěshì, tā shénme yě bú yào. Zhāng Huìqín
可是，她什么也不要。张慧琴
shuō: "Wǒ bǎ nà gè dà yútóu náhuí
说："我把那个大鱼头拿回
jiā, jiù xíng le."
家，就行了。"

Zhāng Huìqín ài chī yútóu, zhè yě méi
张慧琴爱吃鱼头，这也没
shénme qíguài. Liǔ Yuèfāng zìjǐ méiyǒu chī
什么奇怪。柳月芳自己没有吃
yútóu de xíguàn. Tā de xíguàn yě yǐngxiǎngle
鱼头的习惯。她的习惯也影响了
zhàngfu hé érzi, tāmen yì jiā rén dōu bù
丈夫和儿子，他们一家人都不
chī yútóu, yātóu shénme de. Yě bù zhīdao
吃鱼头、鸭头什么的。也不知道
wèi shénme, tā juéde chī nàxiē dōngxi yǒudiǎn
为什么，她觉得吃那些东西有点
yěmán, kànjian zhèxiē dōngxi jiù bù xiǎng
野蛮[1]，看见这些东西就不想
zhāng zuǐ. Zhāng Huìqín duō cì quàn tā, ràng
张嘴。张慧琴多次劝她，让
tā cháng yíxià tā hóngshāo de yútóu. Liǔ
她尝一下她红烧的鱼头。柳
Yuèfāng zhīdao tā zuò de yútóu hěn hǎochī,
月芳知道她做的鱼头很好吃，
kěshì, tā jiùshi bù gǎn cháng yì kǒu. Zhāng
可是，她就是不敢尝一口。张
Huìqín shuō, nǐ bù chī yútóu jiù chī biéde,
慧琴说，你不吃鱼头就吃别的，

1 **野蛮**: savage; uncultivated

chī yìdiǎn yútóu lǐmiàn de cài . Liǔ Yuèfāng
吃一点鱼头里面的菜。柳月芳
chángle yì kǒu , wèidào zhēnshì hǎo jí le .
尝了一口，味道真是好极了。
Dànshì , tā jiùshì juéde bù shūfu .
但是，她就是觉得不舒服。

Jū Línshēng shì gànbù , gěi tā sònglǐ de
居林生是干部，给他送礼的
rén hěn duō . Liǔ Yuèfāng gàosu línjū , tā
人很多。柳月芳告诉邻居，她
sònggěi Zhāng Huìqín de yútóu dōu kěyǐ yòng
送给张慧琴的鱼头都可以用
qìchē zhuāng le . Dàjiā dōu zhīdao tāmen liǎng
汽车装了。大家都知道他们两
jiā guānyú yútóu de gùshi . Liǔ Yuèfāng yì jiā
家关于鱼头的故事。柳月芳一家
yīnwèi bù chī yútóu , yātóu , jītóu , jiù
因为不吃鱼头、鸭头、鸡头，就
bǎ yútóu , yātóu , jītóu dōu gěile Zhāng
把鱼头、鸭头、鸡头都给了张
Huìqín . Zhāng Huìqín yě méi shénme bù
慧琴。张慧琴也没什么不
hǎoyìsi , tā gēn línjū shuō : " Liǔ Yuèfāng jiā
好意思，她跟邻居说："柳月芳家
de rén shénme tóu dōu bù chī , jiù bǎ yútóu
的人什么头都不吃，就把鱼头
sònggěi wǒ chī . Yútóu , yātóu shénme de dōu
送给我吃。鱼头、鸭头什么的都
shì hěn hǎochī de . "
是很好吃的。"

Hěn duō nián guòqu le, xiànzài rénmen
很多年过去了，现在人们
búzài sòng yú le. Liǔ Yuèfāng hé Zhāng Huìqín
不再送鱼了。柳月芳和张慧琴
liǎng jiā de guānxi yě bú xiàng yǐqián nàme hǎo
两家的关系也不像以前那么好
le. Liǎng jiā de nǚrén háishi láiláiwǎngwǎng,
了。两家的女人还是来来往往，
dàn méiyǒule yú de guānxi. Zhè zhǒng biànhuà
但没有了鱼的关系。这种变化
shì yīnwèi tāmen de shēnghuó fāshēngle hěn dà
是因为他们的生活发生了很大
biànhuà. Dàjiā bù zhīdao cóng nǎ nián kāishǐ,
变化。大家不知道从哪年开始，
rénmen sònglǐ bú sòng yú le. Guònián de
人们送礼不送鱼了。过年的
shíhou, rénmen sòng de dōngxi kāishǐ yǔ wàimian
时候，人们送的东西开始与外面
de shìjiè yǒule liánxì. Rénmen sòng xīyángshēn
的世界有了联系。人们送西洋参
huòzhě shānzhēn-hǎiwèi le. Yú ne, hǎoxiàng
或者山珍海味了。鱼呢，好像
yǐjing bèi rénmen wàng le.
已经被人们忘了。

Liǔ Yuèfāng hé Zhāng Huìqín liǎng jiā de
柳月芳和张慧琴两家的
guānxi biànhuà hái yǒu biéde yuányīn. Yí gè
关系变化还有别的原因。一个
yuányīn shì, Zhāng Huìqín de érzi, nǚ'ér
原因是，张慧琴的儿子、女儿

dōu zhǎngdà le , kāishǐ zhèngqián le . Tā yǒu
都长大了，开始挣钱了。她有
gè érzi hěn néng zhèngqián , xiànzài tā jiā
个儿子很能挣钱，现在她家
mǎi duōshao yú dōu mǎi de qǐ le . Hái yǒu yí
买多少鱼都买得起了。还有一
gè yuányīn shì , Jū Línshēng de gōngzuò biàn le .
个原因是，居林生的工作变了。
Yīnwèi tā niánjì dà le , yòu méiyǒu xuélì ,
因为他年纪大了，又没有学历[1]，
tā méiyǒu bèi tíshēng . Xiànzài dàole guònián
他没有被提升[2]。现在到了过年
de shíhou , Jū Línshēng jiā de ménqián bú xiàng
的时候，居林生家的门前不像
yǐqián nàme rènao le , méiyǒu rén gěi tā
以前那么热闹了，没有人给他
sònglǐ le . Yǒu shíhou kàndào yí gè rén názhe
送礼了。有时候看到一个人拿着
dōngxi wǎng tā jiā zǒu , què shì Jū Línshēng
东西往他家走，却是居林生
zìjǐ .
自己。

Xiànzài rénmen de shēnghuó fāshēngle hěn dà
现在人们的生活发生了很大
de biànhuà . Jū Línshēng de jiā bú rènao le ,
的变化。居林生的家不热闹了，
ér Zhāng Huìqín jiā de shēnghuó què kāishǐ
而张慧琴家的生活却开始
hónghuo le . Zhāng Huìqín de dà érzi jiào
红火了。张慧琴的大儿子叫

1 **学历**: usually refers to college background
e.g. 没有学历的人不好找工作。

2 **提升**: to promote
e.g. 他由副经理提升为经理。

Dōngfēng . Dōngfēng hé jǐ gè péngyou cóng
东风。东风和几个朋友从

hǎishang zǒusī xiāngyān , zhèngle hěn duō qián .
海上走私香烟[1]，挣了很多钱。

Zhāng Huìqín zhīdao zǒusī xiāngyān hěn wēixiǎn ,
张慧琴知道走私香烟很危险，

shì fànfǎ de shìqing . Tā pà érzi chūshì ,
是犯法的事情。她怕儿子出事，

jiù bú ràng érzi zǒusī xiāngyān le . Dànshì ,
就不让儿子走私香烟了。但是，

tā yě bù zhīdao ràng érzi zuò shénme ,
她也不知道让儿子做什么，

érzi yě bù zhīdao yìnggāi zuò shénme . Zhāng
儿子也不知道应该做什么。张

Huìqín shì yì jiā gōngchǎng de gōngren , tā
慧琴是一家工厂的工人，她

zhèng de qián hěn shǎo . Yǒu yì tiān , Zhāng
挣的钱很少。有一天，张

Huìqín zài jiēshang zǒu , lùguò yí gè yèshì ,
慧琴在街上走，路过一个夜市[2]，

kànjian hěn duō rén zài chī gè zhǒng xiǎochī . Tā
看见很多人在吃各种小吃。她

wéndàole gè zhǒng xiāngwèir . Zhāng Huìqín
闻到了各种香味儿。张慧琴

kàndào hěn duō rén zài chī dōngxi . Tā zǒudào yí
看到很多人在吃东西。她走到一

gè tānzi miànqián , chángle cháng cài de
个摊子[3]面前，尝了尝菜的

wèidào , tā juéde tānzi shàng de dōngxi bù
味道，她觉得摊子上的东西不

1 **走私香烟**: smuggling cigarettes

2 **夜市**: night market

e.g. 很多人都喜欢逛夜市、吃小吃、买东西。

3 **摊子**: vendor's stand; booth

e.g. 摊子上的东西很便宜。

zěnme hǎochī, hái méiyǒu tā zuò de hǎochī.
怎么好吃，还没有她做得好吃。
Jiù zài zhè shí, Zhāng Huìqín yǒule yí gè xīn
就在这时，张慧琴有了一个新
de xiǎngfa.
的想法。

Zhāng Huìqín yìbiān zǒu yìbiān xiǎng: "Zhè
张慧琴一边走一边想："这
bú shì tiānxià zuì hǎo de shēngyi ma? Bùguǎn
不是天下最好的生意吗？不管
shèhuì zěnme biànhuà, rén de zuǐ zǒngshì yào
社会[1]怎么变化，人的嘴总是要
chī de ya! Yǒu rén xǐhuan zuò, yǒu rén xǐhuan
吃的呀！有人喜欢做，有人喜欢
chī, yìdiǎn yě bú fànfǎ, zhè jiù shì tiānxià
吃，一点也不犯法，这就是天下
zuì ānquán de shēngyi."
最安全的生意[2]。"

Hòulái Zhāng Huìqín de érzi jiù kāile
后来张慧琴的儿子就开了
yí gè fànguǎn, yě jiù shì xiànzài Xiāngchūnshù
一个饭馆，也就是现在香椿树
Jiē shàng fēicháng yǒumíng de "Dōngfēng Yútóuguǎn".
街上非常有名的"东风鱼头馆"。
Fànguǎn zhǔyào de cài shì yútóu. Fànguǎn de
饭馆主要的菜是鱼头。饭馆的
bōlichuāng shàng huàzhe dà yútóu, fànguǎn de
玻璃窗上画着大鱼头，饭馆的
càidān shàng xiězhe "báitāng yútóu", "hóngshāo
菜单上写着"白汤鱼头"、"红烧

1 社会：society
2 生意：business; trade
e.g. 你现在做什么生意？
e.g. 你饭馆的生意好吗？

yútóu " děngděng . Dōngfēng Yútóuguǎn de chúshī ,
鱼头”等等。东风鱼头馆的厨师[1]，
dàjiā dōu néng cāidào , jiù shì Zhāng Huìqín .
大家都能猜到，就是张慧琴。

Xiāngchūnshù Jiē de rénmen bǎ qián kàn
香椿树街的人们把钱看
de hěn zhòngyào , kěshì , tāmen dōu yuànyi
得很重要，可是，他们都愿意
qù Dōngfēng Yútóuguǎn chī yú . Zhè jǐ nián
去东风鱼头馆吃鱼。这几年
lái , Dōngfēng Yútóuguǎn de shēngyi hěn hónghuo .
来，东风鱼头馆的生意很红火。
Zhāng Huìqín měi tiān zuò de báitāng yútóu
张慧琴每天做的白汤鱼头
de xiāngwèir chángcháng xīyǐnzhe hěn duō rén ,
的香味儿常常吸引着很多人，
tā de shēngyi yě jiù yuèláiyuè hǎo . Zhāng
她的生意也就越来越好。张
Huìqín méiyǒu zài diànshì shàng , bàozhǐ shàng zuò
慧琴没有在电视上、报纸上做
guǎnggào , tā de guǎnggào jiù shì yútóu de
广告，她的广告就是鱼头的
xiāngwèi .
香味。

Xiāngchūnshù Jiē de línjūmen qù Dōngfēng
香椿树街的邻居们去东风
Yútóuguǎn chī fàn , kěyǐ dǎ bāzhé . Hěn
鱼头馆吃饭，可以打八折[2]。很
duō cónglái bú jìn fànguǎn de rén yě qùle
多从来不进饭馆的人也去了

1 **厨师**: cook

2 **打八折**: give a 20% discount

e.g.这家商店在打折，东西很便宜，我们去看看吧！

Yútóuguǎn, qù chángyicháng Zhāng Huìqín zuò
鱼头馆，去尝一尝张慧琴做

de yútóucài. Zhǐyǒu Liǔ Yuèfāng yì jiā hái
的鱼头菜。只有柳月芳一家还

méi qùguo, kěnéng shì tā jiā yǐqián chī yú
没去过，可能是她家以前吃鱼

chī de tài duō le. Línjūmen dōu zhīdao Liǔ
吃得太多了。邻居们都知道柳

Yuèfāng hé Zhāng Huìqín guānxi hǎo, dàn dōu
月芳和张慧琴关系好，但都

bù zhīdao wèi shénme Liǔ Yuèfāng yì jiā bú
不知道为什么柳月芳一家不

qù yútóu fànguǎn. Yǒude rén cāi, kěnéng
去鱼头饭馆。有的人猜，可能

shì Zhāng Huìqín fājiā le, ér Jū Línshēng
是张慧琴发家[1]了，而居林生

xiànzài bú shì shénme zhòngyào gànbù, rénmen
现在不是什么重要干部，人们

duì tā yě jiù bú xiàng yǐqián nàme rèqíng
对他也就不像以前那么热情

le. Liǔ Yuèfāng gēn Zhāng Huìqín de láiwang yě
了。柳月芳跟张慧琴的来往也

shǎo le, dànshì tā chángcháng duì biéren shuō:
少了，但是她常常对别人说：

"Wǒ bú qù yútóuguǎn de yuányīn shì wǒmen
“我不去鱼头馆的原因是我们

jiā bù chī yútóu, wǒmen yì jiā rén shénme
家不吃鱼头，我们一家人什么

tóu dōu bù chī!"
头都不吃！”

1 **发家**: get rich
e.g. 很多开饭馆的人都发家了。
e.g. 她开了一家服装商店，生意很好，一年以后就发家了。

Zhāng Huìqín méiyǒu wàng Liǔ Yuèfāng yǐqián
张 慧琴 没有 忘 柳 月芳 以前
sònggěi tā de nàme duō dōngxi . Tā yǐjīng
送给 她 的 那么 多 东西。她 已经
qǐngle Liǔ Yuèfāng hěn duō cì , rèqíng de qǐng Liǔ
请了 柳 月芳 很 多 次，热情 地 请 柳
Yuèfāng yì jiā qù yútóuguǎn zuòkè , érqiě shì
月芳 一 家 去 鱼头馆 做客，而且 是
miǎnfèi de . Zhāng Huìqín duì Liǔ Yuèfāng shuō :
免费[1] 的。张 慧琴 对 柳 月芳 说：
" Wǒ zhīdao nǐmen bù chī yútóu , wǒ zuò biéde
"我 知道 你们 不 吃 鱼头，我 做 别的
gěi nǐmen chī , hǎo ma ? " Liǔ Yuèfāng shuō :
给 你们 吃，好 吗？" 柳 月芳 说：
" Nǐ búyòng kèqi , nǐmen shì zuò shēngyi de ,
"你 不用 客气，你们 是 做 生意 的，
wǒmen zěnme néng miǎnfèi ne . " Zhāng Huìqín
我们 怎么 能 免费 呢。" 张 慧琴
shuō : " Biéren bù néng miǎnfèi , nǐmen yì jiā
说："别人 不 能 免费，你们 一 家
rén kěyǐ báichī ! Wǒ yǐqián chīguo nǐmen jiā
人 可以 白吃[2]！我 以前 吃过 你们 家
duōshao dōngxi , bù yě shì báichī de ma . " Liǔ
多少 东西，不 也 是 白吃 的 嘛。" 柳
Yuèfāng háishi shuō : " Yǐqián shì yǐqián , xiànzài
月芳 还是 说："以前 是 以前，现在
shì xiànzài , bù yíyàng le , bù yíyàng le . "
是 现在，不 一样 了，不 一样 了。"
Zhāng Huìqín gǎnjué dào zhè jǐ nián Liǔ Yuèfāng
张 慧琴 感觉 到 这 几 年 柳 月芳

1 **免费**: free of charge
e.g. 很多旅馆的早餐是免费的。
e.g. 这个公园不收门票，可以免费进去。

2 **白吃**: to freeload; to sponge
e.g. 这顿饭白吃，这本书白送。

xīnqíng bù hǎo, bú xiàng yǐqián le. Xiànzài
心情[1]不好，不像以前了。现在
Zhāng Huìqín fājiā le, yǒu qián le. Zhāng
张慧琴发家了，有钱了。张
Huìqín hěn dǒng gǎnqíng, tā xiǎng, yídìng yào
慧琴很懂感情[2]，她想，一定要
bǎ Liǔ Yuèfāng yì jiā qǐnglái. Tā duì Liǔ Yuèfāng
把柳月芳一家请来。她对柳月芳
shuō: "Bùguǎn nǐ shuō shénme, wǒ dōu yào qǐng
说："不管你说什么，我都要请
nǐmen yì jiā. Nǐmen yídìng děi lái!"
你们一家。你们一定得来！"

Zhāng Huìqín de huà gǎndòngle Liǔ
张慧琴的话感动[3]了柳
Yuèfāng. Yǒu yì tiān, Liǔ Yuèfāng dàizhe zhàngfu Jū
月芳。有一天，柳月芳带着丈夫居
Línshēng hé érzi Jū Qiáng, hái yǒu érzi de
林生和儿子居强，还有儿子的
nǚpéngyou, yìqǐ qùle "Dōngfēng Yútóuguǎn".
女朋友，一起去了"东风鱼头馆"。
Zhāng Huìqín bǎ tāmen yì jiā qǐngjìn le yí gè
张慧琴把他们一家请进了一个
hěn xīn de bāojiān. Guāng lěngcài jiù bǎile yì
很新的包间[4]。光冷菜就摆了一
zhuōzi, kěyǐ kànchū Zhāng Huìqín de chéngyì.
桌子，可以看出张慧琴的诚意[5]。
Zhāng Huìqín zuòle Liǔ Yuèfāng zuì ài chī de
张慧琴做了柳月芳最爱吃的
cài, Liǔ Yuèfāng fēicháng gǎndòng. Zhāng Huìqín
菜，柳月芳非常感动。张慧琴

1 **心情**: mood
e.g. 最近他心情不好。

2 **懂感情**: understand other's feelings

3 **感动**: be moved
e.g. 他给了我很多帮助，我很感动。
e.g. 她病了，我们去看她，她很感动。

4 **包间**: a separated private room in a restaurant
e.g. 这家饭馆有很多小包间。

5 **诚意**: sincerity
e.g. 为了感谢你的帮助，我送给你一件礼物。这是我向你表示的诚意。

hái zhǔnbèile Jū Línshēng hé Jū Qiáng xǐhuan chī
还准备了居林生和居强喜欢吃

de cài. Liǔ Yuèfāng zhīdao Zhāng Huìqín shì zài
的菜。柳月芳知道张慧琴是在

gǎnxiè tā. Tā xiǎngqǐle yǐqián de xǔxǔduōduō
感谢她。她想起了以前的许许多多

de yú, xǔxǔduōduō de yútóu. Tā shuō:
的鱼，许许多多的鱼头。她说：

"Zhāng Huìqín shì zhēnxīn de qǐng wǒmen, chī ba,
“张慧琴是真心地请我们，吃吧，

láile jiù búyào kèqi le, chī!"
来了就不要客气了，吃！”

Zhèng rú Zhāng Huìqín shuō de nàyàng,
正如张慧琴说的那样，

tāmen de zhuōshang méiyǒu yútóu, yīnwèi tāmen
他们的桌上没有鱼头，因为他们

bù chī yútóu. Kěshì dāng Zhāng Huìqín shàng
不吃鱼头。可是当张慧琴上

yāzitāng de shíhou, Jū Qiáng de nǚpéngyou xiǎo
鸭子汤的时候，居强的女朋友小

shēng de wèn Jū Qiáng: "Zěnme shì yāzitāng?
声地问居强：“怎么是鸭子汤？

Wǒ yǐwéi shì yútóutāng ne! Zhè jiā guǎnzi bú
我以为是鱼头汤呢！这家馆子不

shì yútóutāng zuì yǒumíng ma?"
是鱼头汤最有名吗？”

Dàjiā dōu tīngjianle nà gūniang shuō
大家都听见了那姑娘说

de huà. Dàjiā zhīdao tā xiǎng chī yútóu.
的话。大家知道她想吃鱼头。

Zhāng Huìqín xiàozhe kànle Liǔ Yuèfāng yíxià.
张慧琴笑着看了柳月芳一下。
Liǔ Yuèfāng kànkan zhàngfu, yòu kànkan érzi,
柳月芳看看丈夫，又看看儿子，
zuìhòu yòu kàn guō li de yāzi ——
最后又看锅[1]里的鸭子——
yāzi méiyǒu tóu, Zhāng Huìqín bǎ yāzi tóu
鸭子没有头，张慧琴把鸭子头
nádiào le. Jū Qiáng xiǎo shēng duì nǚpéngyou
拿掉了。居强小声对女朋友
shuōzhe shénme. Liǔ Yuèfāng cāi de chūlai, Jū
说着什么。柳月芳猜得出来，居
Qiáng yídìng shì shuō: "Wǒmen yì jiā bù chī
强一定是说："我们一家不吃
yútóu." Tā de nǚpéngyou què xiǎo shēng shuō:
鱼头。"他的女朋友却小声说：
"Kěshì, nǐ qiántiān hái chīle yútóu ne."
"可是，你前天还吃了鱼头呢。"
Liǔ Yuèfāng tīng de hěn qīngchu. Jū Qiáng kànle
柳月芳听得很清楚。居强看了
fùmǔ yì yǎn, xiǎo shēng duì nǚpéngyou shuō:
父母一眼，小声对女朋友说：
"Wǒ shì péi nǐ chī de!"
"我是陪你吃的！"

Zhāng Huìqín xiàole qǐlai, tā kànzhe Jū
张慧琴笑了起来，她看着居
Qiáng hé tā de nǚpéngyou, duì Jū Qiáng shuō:
强和他的女朋友，对居强说：
"Shénme péi nǐ chī péi tā chī de, yútóu zuì
"什么陪你吃陪他吃的，鱼头最

1 锅: pot

hǎochī, chīguole nǐ jiù zhīdaole ba? Nǐ
好吃，吃过了你就知道了吧？你
péi nǚpéngyou chī, hái yìnggāi péi nǐ fùmǔ
陪女朋友吃，还应该陪你父母
chī!" Zhāng Huìqín kànzhe Liǔ Yuèfāng, shuō:
吃！”张慧琴看着柳月芳，说：
"Zěnmeyàng, zhè yútóu bù chī bù xíng, jīntiān
“怎么样，这鱼头不吃不行，今天
fēi chī yútóu bùkě le."
非吃鱼头不可了。”

Liǔ Yuèfāng gǎndào hěn nán bàn,
柳月芳感到很难办，
xiǎngle yíxià, shuō: "Wǒ chī dōngxi hěn
想了一下，说：“我吃东西很
suíbiàn, wènwèn Lǎo Jū chībuchī, yútóu tā
随便，问问老居[1]吃不吃，鱼头他
chībuchī?" Zhāng Huìqín juéde Liǔ Yuèfāng duì
吃不吃？”张慧琴觉得柳月芳对
yútóu de tàidu yǒudiǎn gǎibiàn, mǎshàng shuō:
鱼头的态度有点改变，马上说：
"Lǎo Jū a, jiù kàn nǐ de juédìng le!"
“老居啊，就看你的决定了！”
Jū Línshēng zhèngzài tī yá, yì tīngshuō ràng
居林生正在剔牙，一听说让
tā zuò juédìng, tā xiǎng, zhè bú shì shénme
他做决定，他想，这不是什么
zhòngyào wèntí, yúshì shuō: "Shàng yútóu jiù
重要问题，于是说：“上鱼头就
shàng yútóu ba, shuí ài chī shuí chī, yútóu
上鱼头吧，谁爱吃谁吃，鱼头

1 **老居：老**, prefix of a person's surname to indicate seniority
e.g. 老王，老张……

běnlái jiù kěyǐ chī ma ."
本来就可以吃嘛。”

Zhāng Huìqín jiù gěi Liǔ Yuèfāng yì jiā
张慧琴就给柳月芳一家
shàngle yútóu . Ràng Zhāng Huìqín gāoxìng de shì ,
上了鱼头。让张慧琴高兴的是，
Jū Línshēng hé Liǔ Yuèfāng zhōngyú chīle tā zuò
居林生和柳月芳终于吃了她做
de hóngshāo yútóu . Tā yòu gěi tāmen shàngle
的红烧鱼头。她又给他们上了
yì pén yútóutāng , fūqī liǎng rén yě méi shuō
一盆鱼头汤，夫妻两人也没说
shénme . Zhāng Huìqín hòulái xiàng rénmen shuō :
什么。张慧琴后来向人们说：
" Wǒ yě bù zhīdao wèi shénme , wǒ jiùshi
“我也不知道为什么，我就是
xiǎng ràng tāmen chī wǒ zuò de yútóu , kàn
想让他们吃我做的鱼头，看
tāmen yì jiā chīle wǒ zuò de yútóu , wǒ
他们一家吃了我做的鱼头，我
jiù xīn'ān le ." Tā chángcháng gēn rén shuō :
就心安了。”她常常跟人说：
" Jū Línshēng shuō ' yútóu wèidào hěn búcuò
“居林生说‘鱼头味道很不错
ma ', Liǔ Yuèfāng shuō ' méi xiǎngdào yútóu
嘛’，柳月芳说‘没想到鱼头
zhème hǎochī . ' "
这么好吃。’”

Jū Qiáng nà tiān zài yútóuguǎn xiěle
居强那天在鱼头馆写了

yì shǒu xiǎo shī : " Niánnián yǒu yú , niánnián
一首小诗[1]："年年有鱼，年年
yǒuyú , yǒu yú de shìjiè duōme měilì , yǒu
有余，有鱼的世界多么美丽，有
yú de shìjiè duōme fùyù ! "
鱼的世界多么富裕！"

Qíshí , Jū Qiáng de shī shì tā zài
其实，居强的诗是他在
yútóu fànguǎn chī yú shíhou de gǎnshòu . Zhāng
鱼头饭馆吃鱼时候的感受[2]。张
Huìqín hěn lǐjiě Jū Qiáng de xīnqíng . Liǔ
慧琴很理解居强的心情。柳
Yuèfāng hé Jū Línshēng duì érzi de shī hěn gǎn
月芳和居林生对儿子的诗很感
xìngqù . Ér Jū Qiáng de nǚpéngyou què yìbiān
兴趣。而居强的女朋友却一边
hēzhe yútāng yìbiān shuō : " Bié niàn le , bié
喝着鱼汤一边说："别念了，别
niàn le , shénme pò shī ! "
念了，什么破[3]诗！"

1 **诗**: poem

2 **感受**: experience; feeling; taste

e.g. 看了这个电影，他的感受很深。

3 **破**: lousy; shabby; poor

e.g. 谁也不喜欢看那个破电影。

This story is abridged according to Su Tong's short story *People's Fish*, which was published on *Fiction Monthly* (小说月报), No.11, 2002. *People's Fish* won the eleventh Baihua Award (百花奖).

## About the author Su Tong（苏童）:

Su Tong is one of the most celebrated writers in China today. He was born in 1963 in Suzhou. He entered the Chinese Department of Beijing Normal University in 1980. He is now a member of Chinese Writers' Association and has been publishing his works since 1983. He is well-known through the film 大红灯笼高高挂 directed by Zhang Yimou, which was adapted from his story 妻妾成群. He has published novels: 米，紫檀木球，我的帝王生涯; novellas: 妻妾成群，红粉; collections of short stories: 伤心的舞蹈，罂粟之家，祭奠红马, etc. His short story 妻妾成群 won the fourth Baihua Award (百花奖) of *Fiction Monthly* (小说月报). Some of his works (我的帝王生涯，大红灯笼高高挂, etc.) have been translated into English, French, German, Swedish, Italian, Dutch, etc. Su Tong is a familiar name to readers of Chinese contemporary literature.

## 思考题：

1. 为什么中国人过春节喜欢吃鱼？
2. 你怎么理解故事的标题“人民的鱼”？
3. 十多年以后，柳月芳的家庭发生了什么变化？
4. 张慧琴的家庭发生了什么变化？
5. 柳月芳和张慧琴两家都发生了变化，他们两家的关系怎么样？
6. 柳月芳不想去张慧琴的饭馆吃鱼，后来她一家人又为什么去了呢？
7. 故事中的语言很幽默，比如“街上的猫都往居林生的家跑呢”。你还能找出别的例子吗？

for E-book

Èr , Gōngyuán Li Fāshēngle Shénme ?

# 二、公园里发生了什么?

Yuánzhù : Wáng Huáiyǔ

原著：王 怀宇

## 二、公园里发生了什么？

### Guide to reading:

In China, there are many stories of *junzi* (君子) and *xiaoren* (小人). *Junzi* (君子) is often regarded as a man of virtue, while *xiaoren* (小人) refers to a man of vile character. Confucius once said, "A man of virtue always aids others in doing good, a lowly man aids evil conduct. (君子成人之美，小人成人之恶。)" In China, the character of *junzi* has been highly admired since ancient times. "Aiding others in doing good (成人之美)" is a virtue of great character. The following selection, *What Happened in the Park*, is a story of college students living on campus and studying together for four years. In this story, the first person "I" is very much sensitive to his pride, a concept in Chinese called "face (面子)." To save "face," he has a fight with his classmate, Yi Feng, in a park. However, he later comes to realize that he has made a big mistake in believing that he will save face through violence. "I" has bitter feelings of remorse about his mean and immoral behavior after his graduation, so he decided to write the truth about the fight in the park.

## 故事正文：

Shàng dàxué de shíhou, wǒ hé wǒ de
上大学的时候，我和我的

tóngxué juédòuguo yí cì. Wǒ de tóngxué jiào
同学决斗[1]过一次。我的同学叫

Yī Fēng. Zhè cì juédòu bú shì wèile yí gè
伊锋。这次决斗不是为了一个

piàoliang de nǚhái. Zhè cì juédòu gēn nǚrén
漂亮的女孩。这次决斗跟女人

méi guānxi, wǒmen shì yīnwèi "miànzi" jìnxíng
没关系，我们是因为“面子”[2]进行

de juédòu. Wǒ hěn ài miànzi, tā yě hěn
的决斗。我很爱面子，他也很

ài miànzi. Zài juédòu zhīhòu, yě jiù shì wǒ
爱面子。在决斗之后，也就是我

shènglì zhīhòu, wǒ de nǚpéngyou Xiǎowén yǒngyuǎn
胜利之后，我的女朋友晓雯永远

de líkāile wǒ.
地离开了我。

Yǒu yì tiān wǎnshang, wǒ de xīnqíng bù
有一天晚上，我的心情[3]不

yúkuài. Wǒ hé nǚpéngyou Xiǎowén cóng túshūguǎn
愉快。我和女朋友晓雯从图书馆

chūlai, yìqǐ huí sùshè. Yílù shang, wǒmen
出来，一起回宿舍。一路上，我们

hěn shǎo shuōhuà. Xiǎowén de xīnqíng yě shòule
很少说话。晓雯的心情也受了

wǒ de yǐngxiǎng. Wǒmen zǒudào nǚshēng sùshèlóu
我的影响。我们走到女生宿舍楼

1 **决斗**: to duel

2 **面子**: reputation; face

**“爱面子”，“要面子”**, to save one's face; **“丢面子”，“没面子”**, to lose one's face

e.g. 为了面子，他只好帮助她。

e.g. 你的话真让他丢面子。

3 **心情**: mood; state of mind

e.g. 今天他考试考得很好，心情也特别好。

e.g. 我的书包丢了，我的心情很不好。

qián, Xiǎowén shénme dōu méi shuō, lián yì shēng
前，晓雯什么都没说，连一声
“ báibái ” yě méi shuō, tóu yě méi huí yí
“Bye-bye”也没说，头也没回一
xià, jiù zǒujìnle nǚshēng sùshèlóu.
下，就走进了女生宿舍楼。

Wǒ yí gè rén láidào nánshēng sùshèlóu,
我一个人来到男生宿舍楼，
xīnqíng gèng huài le. Zhè shí sùshèlóu li chūlai
心情更坏了。这时宿舍楼里出来
jìnqu de rén hěn duō. Wǒ gùyì de zhuàngle
进去的人很多。我故意[1]地撞了
hěn duō rén, wǒ hěn xiǎng zhǎo rén dǎjià. Wǒ
很多人，我很想找人打架[2]。我
dǎ biéren, huòzhě biéren dǎ wǒ, dōu xíng.
打别人，或者别人打我，都行。
Wǒ zhuàngle hǎo jǐ gè rén, yěxǔ tóngxuémen dōu
我撞了好几个人，也许同学们都
rènwéi wǒ hē jiǔ le, dōu bù hé wǒ dǎjià.
认为我喝酒了，都不和我打架。
Wǒ hěn shùnlì de jiù chuānguòle nàme duō de
我很顺利地就穿过了那么多的
lóutī, chuānguò nàme duō rén, huídàole wǒ
楼梯，穿过那么多人，回到了我
de sùshè. Méi rén hé wǒ dǎjià, ràng wǒ hěn
的宿舍。没人和我打架，让我很
shīwàng. Wǒ tuōxià niúzǎikù, zhǔnbèi shàng
失望。我脱下牛仔裤[3]，准备上
chuáng tǎngxià.
床躺下。

1 **故意**: on purpose; deliberately

e.g. 她故意地大声说话，让别人都知道她来了。

e.g. 他不小心把花瓶碰掉了，他不是故意的。

2 **打架**: to fight

e.g. 这个孩子经常和别人打架。

3 **牛仔裤**: jeans

Jiù zài zhè gè shíhou, wǒ de tóngxué
就在这个时候，我的同学
Yī Fēng jìnlai le. Tóngxuémen yě chángcháng
伊锋进来了。同学们也常常
jiào tā "Rìběn wǔshì". Yī Fēng shì xuéxiào
叫他“日本武士[1]”。伊锋是学校
zúqiúduì de qiánfēng. Shàng gè xīngqī de
足球队的前锋[2]。上个星期的
zúqiú bǐsài, wǒmen xuéxiào de zúqiúduì shū
足球比赛，我们学校的足球队输
le. Tā de xīnqíng yìzhí bù hǎo. Tā hēle
了。他的心情一直不好。他喝了
jiǔ, ránhòu, jiù dào sùshè li zhǎo tóngxué
酒，然后，就到宿舍里找同学
dǎjià. Tóngxuémen zhīdao tā hēle jiǔ, dōu
打架。同学们知道他喝了酒，都
bù gēn tā dǎjià. Yàoshi wǒ nà tiān wǎnshang
不跟他打架。要是我那天晚上
xīnqíng hǎo, wǒ yě bú huì gēn Yī Fēng dǎjià.
心情好，我也不会跟伊锋打架。
Tā jiǔ hē duō le, xīnqíng kěndìng bù hǎo. Tā
他酒喝多了，心情肯定不好。他
bù hē jiǔ de shíhou duì tóngxué hěn hǎo, wǒ
不喝酒的时候对同学很好，我
bú huì gēn tā jìjiào shénme.
不会跟他计较[3]什么。

Kěshì, nà tiān wǎnshang, wǒ de xīnqíng
可是，那天晚上，我的心情
hěn zāogāo. Wǒmen liǎng gè rén xīnqíng
很糟糕。我们两个人心情

1 **武士**: samurai
2 **前锋**: striker
3 **计较**: argue about trifles; be angry about trifles
e.g. 这件小事就算了，你别和他计较了。

dōu bù hǎo, dōu xiǎng dǎ yí jià. Kànjian tā
都不好，都想打一架。看见他
zǒu jìnlai, wǒ tūrán tíng xiàlai, hǎoxiàng
走进来，我突然停下来，好像
děngzhe shénme. Wǒ xīnli yǒudiǎn jǐnzhāng, wǒ
等着什么。我心里有点紧张[1]，我
miànduì de shì yí gè hěn qiángzhuàng de zúqiú
面对的是一个很强壮[2]的足球
qiánfēng —— Yī Fēng.
前锋——伊锋。

Wǒ de yí gè tóngwū jiào Lǎo Wǔ, Lǎo
我的一个同屋叫老五，老
Wǔ de chuáng kàojìn ménkǒu. Yī Fēng de shǒu
五的床靠近门口。伊锋的手
zài Lǎo Wǔ de liǎnshang mōle yíxiàr zhīhòu,
在老五的脸上摸了一下儿之后，
jiù xiàng wǒ zǒu guòlai. Tā duì wǒ shuō: "Hǎo
就向我走过来。他对我说："好
a, nǐ xiǎozi yě zài, zuótiān wǒ méi jiànzháo
啊，你小子也在，昨天我没见着
nǐ, jīntiān suànshì yùjian nǐ le. Nǐ yǐwéi
你，今天算是遇见你了。你以为
nǐ gèzi gāo wǒ jiù pà nǐ ya, suīrán nǐ
你个子高我就怕你呀，虽然你
yǒu gè piàoliang de nǚpéngyou, yě méi yòng."
有个漂亮的女朋友，也没用。"
Yī Fēng píngshí huà bù duō, hēle jiǔ yǐhòu
伊锋平时话不多，喝了酒以后
tā de huà jiù duō le. Tā yìbiān shuō yìbiān
他的话就多了。他一边说一边

1 **紧张**: nervous
e.g. 不要紧张，有话慢慢地说。
e.g. 有的学生在课堂上回答老师问题时，很紧张。

2 **强壮**: strong
e.g. 他经常锻炼身体，所以他的身体很强壮。

bǎ shǒu shēnxiàng wǒ de liǎn .
把手伸向我的脸。

Rúguǒ shì píngshí , wǒ yě bú huì tài shēngqì , Yī Fēng mō liǎng xià yě jiù suàn le .
如果是平时，我也不会太生气，伊锋摸两下也就算了。

Kěshì jīntiān wǒ de xīnqíng bù hǎo , huǒqì fēicháng dà .
可是今天我的心情不好，火气[1]非常大。

Wǒ shēngqì de hǎnle yì shēng : " Gǔn ! "
我生气地喊了一声："滚[2]！"

Yī Fēng tūrán bú xiào le , tā shuō : " Nǐ shuō shénme ? Nǐ zài shuō yí biàn ! "
伊锋突然不笑了，他说："你说什么？你再说一遍！"

Wǒ yòu hǎnle yì shēng : " Wǒ ràng nǐ gǔn ! "
我又喊了一声："我让你滚！"

Yī Fēng zhànzhu le , yǎnjing zhízhí de kànzhe wǒ .
伊锋站住了，眼睛直直地看着我。

Wǒ yí gè zì yí gè zì de shuō : " Wǒ —— ràng —— nǐ —— gěi —— wǒ —— gǔn —— chū —— qù ! "
我一个字一个字地说："我——让——你——给——我——滚——出——去！"

1 火气：anger; hot temper
e.g. 年轻人火气大。
e.g. 他们两个人火气都很大，就打了起来。

2 滚：(in an angry tone, impolite) get away; to scram

Yī Fēng shuō: "Nǐ tāmāde!" tā
伊锋说："你他妈的！"[1]他

hěn kuài de tīle yì jiǎo.
很快地踢了一脚。

Tā chuān de shì tuōxié, tuōxié cóng wǒ
他穿的是拖鞋，拖鞋从我

de liǎnshang fēile guòqu.
的脸上飞了过去。

Wǒ yíxiàzi jiù huǒ le, hěn xiōng
我一下子就火了，很凶[2]

de duì tā shuō: "Nǐ děng wǒ bǎ kùzi
地对他说："你等我把裤子

chuānshàng, zánmen dào wàibiān qù dǎ!"
穿上，咱们到外边去打！"

Yī Fēng yě hěn xiōng de shuō: "Hǎo!"
伊锋也很凶地说："好！"

Ránhòu tā zǒuchūle wǒ de sùshè, zài mén
然后他走出了我的宿舍，在门

wàibian děng wǒ.
外边等我。

Yěxǔ wǒ zhēn de xiǎng dǎjià. Wǒ hěn
也许我真的想打架。我很

kuài de chuānhǎo niúzǎikù, méiyǒu tīng tóngxuémen
快地穿好牛仔裤，没有听同学们

de quànzǔ, hěn kuài de láidào ménwài.
的劝阻[3]，很快地来到门外。

Wǒ shuō: "Wǒmen dào sùshèlóu wàimian
我说："我们到宿舍楼外面

qù!"
去！"

1 **你他妈的** is a dirty word. It is similar to "fuck you."

2 **凶**: fierce

e.g. 他的火气很大，样子也很凶。

3 **劝阻**: persuade not to do something; **劝**, to advise

e.g. 他想跟他的同屋吵架，大家劝阻他不要吵。

Yī Fēng méiyǒu zài shuōhuà, dàn wǒ néng
伊锋没有再说话，但我能
gǎnjué dào tā de huǒqì hěn dà.
感觉到他的火气很大。

Dāng wǒmen zǒudào sùshèlóu de dàmén
当我们走到宿舍楼的大门
shí, ménkǒu de lǎotóu zhèng zài suǒmén. Tā bù
时，门口的老头正在锁门。他不
zhīdao wǒmen qù gàn shénme, bùguǎn wǒmen shuō
知道我们去干什么，不管我们说
shénme, tā jiù shì bù tóngyì wǒmen chūqu.
什么，他就是不同意我们出去。
Wèile xuésheng de ānquán, sùshèlóu wǎnshang
为了学生的安全，宿舍楼晚上
dōu yào bǎ dàmén suǒshàng, xuésheng bù néng
都要把大门锁上，学生不能
suíbiàn chūqu, wàimian de rén yě bù néng suíbiàn
随便出去，外面的人也不能随便
jìnlai. Wǒmen méi bànfǎ chūqu le.
进来。我们没办法出去了。

Wǒmen mǎshàng láidàole sùshèlóu
我们马上来到了宿舍楼
èr céng de yí gè shuǐfáng, yīnwèi cóng zhèli
二层的一个水房，因为从这里
wǒmen kěyǐ tiào chūqu. Zhè shí, wǒ sùshè de
我们可以跳出去。这时，我宿舍的
tóngxuémen gǎnlái le. Tāmen dōu lái quànzǔ wǒmen
同学们赶来了。他们都来劝阻我们
bú yào dǎjià, wǒmen zhǐhǎo huí sùshè le.
不要打架，我们只好回宿舍了。

Yī Fēng zuìhòu shuō: "Míngtiān!"
伊锋最后说："明天！"

Wǒ shuō: "Míngtiān jiù míngtiān."
我说："明天就明天。"

Wǒ huídào sùshè, tóngxuémen quàn wǒ bú yào hé Yī Fēng jìjiào, tā hē jiǔ le.
我回到宿舍，同学们劝我不要和伊锋计较，他喝酒了。

Wǒ hái zài shēngqì, "tā tài xiōng le, tā wèi shénme nàme xiōng?"
我还在生气，"他太凶了，他为什么那么凶？"

Lǎo Wǔ shuō: "Nǐ bù yìnggāi shuō nàge 'gǔn' zì, Yī Fēng jiāxiāng de rén zuì tǎoyàn zhè gè zì, nǐ shuō ràng tā gǔn, jiù děngyú mà tā."
老五说："你不应该说那个'滚'字，伊锋家乡的人最讨厌[1]这个字，你说让他滚，就等于骂[2]他。"

Wǒ shuō: "Mà tā yòu zěnmeyàng? Pà mà jiù bié lái zhǎo máfan!"
我说："骂他又怎么样？怕骂就别来找麻烦！"

Lǎo Wǔ shuō: "Yǒu yí cì, tā hé wǒ shuōzhe wán, wǒ shuōle 'gǔn', Yī Fēng mǎshàng shēngqì de gàosu wǒ, bú yào zài tā
老五说："有一次，他和我说着玩，我说了'滚'，伊锋马上生气地告诉我，不要在他

1 讨厌: to hate
e.g. 她很讨厌这里的气候。
e.g. 这种病不好治，很讨厌。

2 骂: to curse
e.g. 这个人很讨厌，他一张嘴就骂人。

miànqián shuō 'gǔn', 'gǔn' zài tā jiāxiāng shì
面前说'滚'，'滚'在他家乡是
mà rén de huà. Nǐ yí duì tā shuō 'gǔn',
骂人的话。你一对他说'滚'，
wǒ jiù juéde shìqing yánzhòng le."
我就觉得事情严重了。"

Tīngle Lǎo Wǔ de huà, wǒ zhīdaole Yī
听了老五的话，我知道了伊
Fēng wèi shénme huǒqì nàme dà. Dànshì wǒ
锋为什么火气那么大。但是我
hái shì shuō: "Màle tā zěnmeyàng, wǒ cái bù
还是说："骂了他怎么样，我才不
guǎn tā nàme duō ne." Wǒ zhèyàng shuō shì
管他那么多呢。"我这样说是
yīnwèi wǒ ài miànzi, zhè shì wǒ de xìnggé.
因为我爱面子，这是我的性格。

Dì-èr tiān shì xīngqīwǔ, shàngwǔ shì
第二天是星期五，上午是
wàiyǔkè. Wǒmen niánjí de wàiyǔkè yǒu jiǔ
外语课。我们年级的外语课有九
gè bān, bú zài tóng yí gè jiāoxuélóu shàngkè.
个班，不在同一个教学楼上课。
Wǒ hé Yī Fēng bú zài yí gè bān, suǒyǐ
我和伊锋不在一个班，所以
shàngwǔ wǒmen méiyǒu jīhui jiànmiàn.
上午我们没有机会[1]见面。

Zhōngwǔ chī fàn de shíhou, wǒ yuǎnyuǎn
中午吃饭的时候，我远远
de kànjian Yī Fēng zài lìng yì zhāng zhuōzi shàng
地看见伊锋在另一张桌子上

1 机会: chance; opportunity
e.g. 这个机会很重要，你一定要抓住这个机会。

chī fàn .
吃饭。

Wǒ xīnli xiǎng, zuówǎn de shì kěnéng
我心里想，昨晚的事可能

jiù suàn wán le . Zuótiān wǎnshang dàjiā dōu yào
就算完了。昨天晚上大家都要

miànzi, dōu hěn shēngqì, suǒyǐ cái xiǎng dǎjià .
面子，都很生气，所以才想打架。

Chīwán wǔfàn, wǒ zǒudào Yī Fēng miànqián,
吃完午饭，我走到伊锋面前，

xiàozhe duì tā shuō: " Zánmen dōu shì gēmenr ,
笑着对他说："咱们都是哥们儿[1]，

yǐhòu bié dǎjià le . Shìbushì ? "
以后别打架了。是不是？"

Yī Fēng kànle kàn wǒ, shénme yě méi
伊锋看了看我，什么也没

shuō . Tā píngshí zǒngshì zhè yàngzi .
说。他平时总是这样子。

Dāng wǒ yào líkāi tā de shíhou, Yī
当我要离开他的时候，伊

Fēng cái hěn rènzhēn de shuōle yí jù : " Hòulái
锋才很认真地说了一句："后来

bú shì . "
不是。"

Wǒ shuō: " Duì, jiù suànshì hòulái bú
我说："对，就算是后来不

shì . " Wǒ shuō de hěn suíbiàn, ránhòu jiù xiàng
是。"我说得很随便，然后就向

shítáng chūkǒu zǒu qù .
食堂出口走去。

1 哥们儿：buddy, a term of address for good male friends

Zài lùshang, wǒ yùjianle wǒ de nǚpéngyou
在路上,我遇见了我的女朋友
Xiǎowén.
晓雯。

Xiǎowén wèn wǒ: "Xiàwǔ qùbuqù túshūguǎn
晓雯问我:"下午去不去图书馆
kàn shū?"
看书?"

Wǒ shuō: "Xiàwǔ wǒ yǒu shì, nǐ
我说:"下午我有事,你
zìjǐ qù ba, míngtiān shàngwǔ, wǒ dào nǐ
自己去吧,明天上午,我到你
sùshè zhǎo nǐ, wǒ qǐng nǐ qù kàn yí gè
宿舍找你,我请你去看一个
zhǎnlǎnhuì."
展览会。"

Yěxǔ shì jiàndàole Xiǎowén, wǒ de
也许是见到了晓雯,我的
xīnqíng hǎo duō le, hái shuìle yí gè shūfu
心情好多了,还睡了一个舒服
de wǔjiào.
的午觉[1]。

Wǒ duōme xiǎng hé Xiǎowén yìqǐ qù
我多么想和晓雯一起去
túshūguǎn kàn shū a! Dànshì, wǒ bù néng
图书馆看书啊!但是,我不能
gēn tā yìqǐ qù. Zhèxiē tiān, wǒ de xīnqíng
跟她一起去。这些天,我的心情
yìzhí hěn luàn, bù xiǎng xiě zuòyè. Jīntiān
一直很乱,不想写作业。今天

1 **睡午觉**: take a nap after lunch
e.g. 她有睡午觉的习惯。

xiàwǔ wǒ xiǎng bǎ yì piān lùnwén xiěwán, nà shì měixuékè de zuòyè. Wǒ yí gè rén láidào zhōngwénxì de jiāoxuélóu li.
下午我想把一篇论文写完，那是美学课的作业。我一个人来到中文系的教学楼里。

Dàgài zài xiàwǔ sān diǎnzhōng de shíhou, yì zhī shǒu qīngqīng de qiāole wǒ de shūzhuō liǎng xià. Wǒ táitóu yí kàn, kànjianle Yī Fēng.
大概在下午三点钟的时候，一只手轻轻地敲了我的书桌两下。我抬头一看，看见了伊锋。

Yī Fēng zhǐle yíxià wàimian, ránhòu, jiù wǎng wài zǒu.
伊锋指[1]了一下外面，然后，就往外走。

Wǒ hǎoxiàng míngbaile Yī Fēng de yìsi, shōushile yíxià bǐ hé běnzi, jiù gēnzhe Yī Fēng láidàole zhōngwénxì dàlóu de wàimian.
我好像明白了伊锋的意思，收拾了一下笔和本子，就跟着伊锋来到了中文系大楼的外面。

Yī Fēng zǒu zài qiánmian, wǒ gēn zài hòumian. Wǒmen zhījiān dàgài yǒu wǔ-liù mǐ yuǎn.
伊锋走在前面，我跟在后面。我们之间大概有五六米远。

Wǒmen zǒuguò cǎodì, yòu zǒuguò jǐ
我们走过草地，又走过几

1 指: point to
e.g. 他用手指着钟说：“现在已经十二点了。”

zuò jiàoxuélóu …… wǒmen hěn kuài de zǒuzhe,
座教学楼……我们很快地走着，
hǎoxiàng dōu zhīdao yào qù zuò shénme.
好像都知道要去做什么。

Yī Fēng fānguòle xiàoyuán de wéiqiáng,
伊锋翻过了校园的围墙[1]，
wǒ yě gēnzhe fānle guòqu.
我也跟着翻了过去。

Yī Fēng zhàn zài mǎlù pángbiān, děng
伊锋站在马路旁边，等
qìchē guòqu zhīhòu, chuānguòle mǎlù. Wǒ
汽车过去之后，穿过了马路。我
yě gēnzhe tā chuānguò mǎlù. Wǒmen láidàole
也跟着他穿过马路。我们来到了
yí gè gōngyuán.
一个公园。

Méi xiǎngdào, Yī Fēng yòu fānguòle
没想到，伊锋又翻过了
gōngyuán de wéiqiáng. Zhè gè gōngyuán de qiáng
公园的围墙。这个公园的墙
bǐ dàxué de qiáng gāo duō le. Yī Fēng fān
比大学的墙高多了。伊锋翻
guòqu le.
过去了。

Wǒ yàoshi fān bú guòqu kě zěnme bàn?
我要是翻不过去可怎么办？
Wǒ jiù shū gěi Yī Fēng le ma? Rúguǒ nàyàng,
我就输给伊锋了吗？如果那样，
wǒ jiù diūmiànzi le. Wǒ yǒu diǎn jǐnzhāng. Wǒ
我就丢面子了。我有点紧张。我

1 翻: climb over; 围墙: enclosing wall
e.g. 学校的大门已经关了，他们进不去了，只好翻围墙。

tiàole yíxià , fān guòqu le . Rúguǒ zài ràng wǒ
跳了一下，翻过去了。如果再让我
fān yí cì , wǒ kěnéng jiù fān bú guòqu le .
翻一次，我可能就翻不过去了。

Yī Fēng zhōngyú zài gōngyuán li de yí kuài
伊锋终于在公园里的一块
hěn kuān de dìfang tíng xiàlai .
很宽的地方停下来。

Yī Fēng zhōngyú shuōhuà le : " Wǒmen
伊锋终于说话了：“我们
juédòu ! "
决斗！”

Wǒ shuō : " Juédòu ? " Wǒ xiǎng shuō ,
我说：“决斗？”我想说，
gànmá nàme rènzhēn , dàn méiyǒu shuō chūlai .
干吗那么认真，但没有说出来。

Shuōhuà bù duō de Yī Fēng rènzhēn
说话不多的伊锋认真
de shuōle sān diǎn , zhè shì wǒ yìdiǎn yě méi
地说了三点，这是我一点也没
xiǎngdào de . Yī Fēng zhǐzhe dìshang de shítou ,
想到的。伊锋指着地上的石头[1]，
ránhòu yòu zhǐzhe zìjǐ de xiǎofù , shuō :
然后又指着自己的小腹[2]，说：
" Dì-yī , wúlùn fāshēng shénme qíngkuàng , dōu bù
“第一，无论发生什么情况，都不
néng yòng shítou . Dì-èr , bù néng dǎ duìfāng de
能用石头。第二，不能打对方的
yàohài . Dì-sān , juédòu guòchéng zhōng bù néng
要害[3]。第三，决斗过程中不能

1 石头：stone
2 小腹：lower abdomen
3 要害：vital part in the body

tíng xiàlai, zhídào yí gè rén bǎ lìng yí gè
停下来，直到一个人把另一个
rén dǎdǎo, huòzhě yí gè rén xiàng lìng yí gè
人打倒，或者一个人向另一个
rén guìxià, xiàng duìfāng qiúráo." Yī Fēng
人跪[1]下，向对方求饶[2]。”伊锋
shuōwán zhīhòu, jiù kāishǐ zhǔnbèi le.
说完之后，就开始准备了。

Wǒ kāishǐ de shíhou xiǎng xiào, dàn méiyǒu
我开始的时候想笑，但没有
xiào chūlai, hòulái jiù yǒu xiē jǐnzhāng le.
笑出来，后来就有些紧张了。
Qiángzhuàng de Yī Fēng shì yǒu zhǔnbèi de, tā
强壮的伊锋是有准备的，他
chuān de shì yùndòngxié, ér wǒ chuān de shì
穿的是运动鞋，而我穿的是
píxié. Suīrán wǒmen chàbuduō yíyàng gāo,
皮鞋[3]。虽然我们差不多一样高，
dàn wǒ bǐ tā shòu de duō. Wǒ de xīnli hěn
但我比他瘦得多。我的心里很
jǐnzhāng, dàn wǒ hěn ài miànzi, bù hǎoyìsi
紧张，但我很爱面子，不好意思
xiàng tā qiúráo. Wǒ zhǐhǎo gēn tā juédòu.
向他求饶。我只好跟他决斗。

Wǔ fēnzhōng yǐhòu, Yī Fēng zǒu guòlai,
五分钟以后，伊锋走过来，
yào kāishǐ dǎjià le.
要开始打架了。

Wǒ shuō: "Wǒmen liǎng gè shì tóngxué,
我说：“我们两个是同学，

1 跪：kneel down
2 求饶：beg for mercy
3 皮鞋：leather shoes

yòngbuzháo juédòu . Jìrán lái le , jiù shuāishuāi
用不着决斗。既然来了，就摔摔

jiāo , juédìng shuí shū shuí yíng , jiù xíng le . ”
跤[1]，决定谁输谁赢[2]，就行了。”

Wǒ shuō de hěn suíbiàn , bù xiǎng ràng Yī Fēng
我说得很随便，不想让伊锋

kànchū wǒ nèixīn hěn jǐnzhāng .
看出我内心很紧张。

Yī Fēng rènzhēn de shuō : “ Shǎo shuō fèihuà . ”
伊锋认真地说：“少说废话[3]。”

Wǒ shuō : “ Zěnme néng dǎchū shǒu a ? ”
我说：“怎么能打出手啊？”

Yī Fēng yòu shuōle yí biàn : “ Shǎo fèihuà . ”
伊锋又说了一遍：“少废话。”

Ránhòu , Yī Fēng zuòchūle kāishǐ juédòu de
然后，伊锋作出了开始决斗的

yàngzi . Tā hǎoxiàng yào shǐ wǒ shēngqì , yòng tī
样子。他好像要使我生气，用踢

zúqiú de jiǎo , yíxiàzi tī zài wǒ de pìgu
足球的脚，一下子踢在我的屁股[4]

shàng , wǒ gǎndào fēicháng téng .
上，我感到非常疼。

Wǒ zhēn de fāhuǒ le , shuō : “ Gěi
我真的发火了，说：“给

nǐ miànzi , nǐ bú yào , shìbushì ? ! ” Wǒ
你面子，你不要，是不是？！”我

yě xiàng tā tīle yì jiǎo , wǒmen de juédòu
也向他踢了一脚，我们的决斗

kāishǐ le .
开始了。

1 **摔跤**: to wrestle

2 **输**: be defeated; **赢**: win

e.g. 在这次世界杯足球比赛中，意大利队赢了，法国队输了。

3 **废话**: nonsense

e.g. 这个人废话太多，让人讨厌。

4 **屁股**: hip

Méiyǒu rén kàn wǒmen juédòu. Wǒ fāchūle
没有人看我们决斗。我发出了
hěn duō shēngyīn, kěshì Yī Fēng shì zúqiúduì
很多声音，可是伊锋是足球队
de qiánfēng, tā bù chū yì shēng. Tā de jiǎo
的前锋，他不出一声。他的脚
hěn zhòng, tā de jiǎo luò zài wǒ shēnshang dōu
很重，他的脚落在我身上都
ràng wǒ gǎndào hěn téng. Kànlái, wǒ bú shì Yī
让我感到很疼。看来，我不是伊
Fēng de duìshǒu. Tā de gōngfu dōu zài tā de
锋的对手。他的功夫[1]都在他的
jiǎo shàng. Miànduì tā de qiángdà, wǒ zhēn de
脚上。面对他的强大，我真的
bù zhīdao, wǒ gāi zěnme bàn. Suīrán Yī Fēng
不知道，我该怎么办。虽然伊锋
tī de wǒ hěn téng, dànshì wǒ juéde Yī Fēng
踢得我很疼，但是我觉得伊锋
méiyǒu yòngjìn tā de quánbù gōngfu. Rúguǒ tā
没有用尽他的全部功夫。如果他
bǎ tā de gōngfu quánbù yòngshàng, wǒ de tuǐ
把他的功夫全部用上，我的腿
kěndìng jiù duàn le.
肯定就断了。

Wǒ zhèng zài xiǎng, wǒ shìbushì yīnggāi
我正在想，我是不是应该
xiàng tā qiúráo le. Yī Fēng yě hǎoxiàng xīnruǎn
向他求饶了。伊锋也好像心软[2]
le, táiqǐ jiǎo, xiǎngle yíxià, yòu
了，抬起脚，想了一下，又

1 **功夫**: skill
e.g. 这个演员跳舞跳得很好，他很有功夫。

2 **心软**: be soft-hearted
e.g. 她不想借钱给他。但是听说他妈妈病了，她心软了，还是把钱借给他了。

fàngxià le . Zhè shí , wǒ juéde zhè shì gè
放下了。这时，我觉得这是个
hǎo jīhui , jiù yì tóu xiàng Yī Fēng de xiǎofù
好机会，就一头向伊锋的小腹
zhuàng qù . Wǒ zhīdao , wǒ bù yīnggāi zhèyàng
撞去。我知道，我不应该这样
zuò , dànshì wèile miànzi , wǒ zuò le ……
做，但是为了面子，我做了……

Qiángzhuàng de Yī Fēng bèi wǒ yì tóu
强壮的伊锋被我一头
zhuàngdǎo le . Yī Fēng hěn kùnnan de , mànmàn
撞倒了。伊锋很困难地、慢慢
de pá qǐlai . Dāng tā guì qǐlai de shíhou ,
地爬起来。当他跪起来的时候，
wǒ yòu duìzhe tā de tóu , luàn dǎle hěn duō
我又对着他的头，乱打了很多
xià ……
下……

Zhè shí , guì zài dìshang de Yī Fēng xiàng
这时，跪在地上的伊锋向
wǒ bǎi shǒu , ràng wǒ tíng xiàlai . Kěshì ,
我摆手[1]，让我停下来。可是，
wǒ què méiyǒu tíngxià , yòu dǎle tā jǐ xià
我却没有停下，又打了他几下
cái tíngzhù .
才停住。

Yī Fēng de yàngzi fēicháng tòngkǔ , wǒ
伊锋的样子非常痛苦[2]，我
zhīdao wǒ bù yīnggāi zhuàng tā de xiǎofù . Wǒ
知道我不应该撞他的小腹。我

1 **摆手**: wave one's hand

2 **痛苦**: painful and suffering

e.g. 他又没找到工作，他非常痛苦。

mànmàn de duì tā shuō: "Shì wǒ cuò le, wǒ
慢慢地对他说："是我错了，我
gùyì zhuàngle nǐ de xiǎofù, wǒ shū le."
故意撞了你的小腹，我输了。"
Wǒ xīnli bù xiǎng zhème shuō, dànshì wǒ
我心里不想这么说，但是我
háishi duì tā shuō le.
还是对他说了。

Yī Fēng méi shuōhuà, zhànle qǐlai, tā
伊锋没说话，站了起来，他
de xiǎofù hǎoxiàng bú nàme téng le. Dànshì,
的小腹好像不那么疼了。但是，
tā de yàngzi hái shì nàme tòngkǔ.
他的样子还是那么痛苦。

Wǒ shuōle hǎo jǐ biàn, "wǒ cuò le,
我说了好几遍，"我错了，
shì wǒ shū le", Yī Fēng háishi yìzhí
是我输了"，伊锋还是一直
bù shuōhuà. Hòulái tā zǒudào yì kē dàshù
不说话。后来他走到一棵大树
pángbiān, zuòle xiàlai, yǎnjing yìzhí kànzhe
旁边，坐了下来，眼睛一直看着
yuǎnfāng.
远方。

Guòle hěn jiǔ, Yī Fēng shuō: "Nǐ bú
过了很久，伊锋说："你不
shì gùyì de. Nǐ zǒu ba!"
是故意的。你走吧！"

Wǒ méi xiǎngdào wǒ jiù zhèyàng yíng le.
我没想到我就这样赢了。

Qíshí wǒ shì gùyì de .
其实我是故意的。

Wǒ shuō : " Zǒu ba , zánmen háishi yìqǐ huíqu ba . "
我说："走吧，咱们还是一起回去吧。"

Yī Fēng yáole yáo tóu .
伊锋摇了摇头[1]。

Wǒ shuō : " Wǒmen yìqǐ lái de , háishi yìqǐ huíqu ba . "
我说："我们一起来的，还是一起回去吧。"

Yī Fēng háishi bù shuōhuà .
伊锋还是不说话。

Wǒ shuō : " Nàme wǒmen yìqǐ zǒuchū gōngyuán dàmén , ránhòu nǐ zài huílai , nà shì nǐ zìjǐ lái de le , jiù yǔ wǒ méiyǒu guānxi le . "
我说："那么我们一起走出公园大门，然后你再回来，那是你自己来的了，就与我没有关系了。"

Guòle hěn jiǔ , Yī Fēng tūrán shuō : " Jìrán nǐ bù zǒu , wǒ yǒu yí gè qǐngqiú . Jīntiān de shì jiù suàn jiéshù le , shuí yě búyào shuō chūqu , búyào gēn tóngxuémen shuō . Rúguǒ
过了很久，伊锋突然说："既然你不走，我有一个请求[2]。今天的事就算结束了，谁也不要说出去，不要跟同学们说。如果

1 **摇头：** shake one's head
e.g. 她不同意这个计划，摇了摇头，就走了。

2 **请求：** to request
e.g. 他考试又没考好。他请求老师再给他一次机会。

nǐ shuō chūqu, jiù huì zàochéng yánzhòng de
你说出去，就会造成严重的

hòuguǒ."
后果[1]。"

Wǒ shuō: "Wǒ yídìng bù shuō chūqu, wǒ
我说："我一定不说出去，我

duì shuí dōu bù shuō."
对谁都不说。"

Yī Fēng shuō: "Hǎo, xiànzài nǐ zǒu ba,
伊锋说："好，现在你走吧，

wǒ yí gè rén zài zuò yíhuìr. Wǒ xiǎng
我一个人再坐一会儿。我想

yǐhòu wǒmen zhēn de bié zài nào le."
以后我们真的别再闹[2]了。"

Yī Fēng yìzhí kànzhe yuǎnfāng.
伊锋一直看着远方。

Wǒ hé Yī Fēng méiyǒu huà shuō, wǒ
我和伊锋没有话说，我

zhǐhǎo yí gè rén xiān zǒu le.
只好一个人先走了。

Wǒ de tuǐ hěn téng, dàn wǒ háishi nǔlì
我的腿很疼，但我还是努力

zuòchū shènglìzhě de yàngzi.
作出胜利者的样子。

Wǒ yí gè rén yào zǒuchū gōngyuán de
我一个人要走出公园的

shíhou, kànjian Yī Fēng hái zuò zài nà kē
时候，看见伊锋还坐在那棵

dàshù xià, yàngzi hěn tòngkǔ. Dàjiā dōu jiào
大树下，样子很痛苦。大家都叫

1 后果: consequence
e.g. 这个问题如果不认真解决，就会带来很坏的后果。

2 闹: make a noise; make a scene; to wrangle
e.g. 这些孩子太闹了，他们跑来跑去，打打闹闹。

tā " Rìběn wǔshì ", wǒ xiǎng, tā bú huì
他“日本武士”，我想，他不会
chūshì ba?
出事吧？

Kěshì, wǒ wèile biǎoshì zìjǐ hěn
可是，我为了表示自己很
liǎobuqǐ, wǒ wéibèile nuòyán. Wǒ bǎ
了不起[1]，我违背了诺言[2]。我把
gōngyuán li juédòu de shì gàosule wǒ de
公园里决斗的事告诉了我的
tóngwū. Wǒ búdàn shuō chūqu le, érqiě hěn
同屋。我不但说出去了，而且很
kuāzhāng. Wǒ ài miànzi, wǒ méiyǒu xiǎngdào
夸张[3]。我爱面子，我没有想到
wǒ gěi Yī Fēng dàilái de tòngkǔ.
我给伊锋带来的痛苦。

Wǒ zài sùshè li gēn tóngwū xuànyào wǒ
我在宿舍里跟同屋炫耀[4]我
de shènglì. Wǒ gēn tóngxuémen shuō: " Yī Fēng
的胜利。我跟同学们说：“伊锋
zuìhòu guì zài dìshang xiàng wǒ qiúráo le."
最后跪在地上向我求饶了。”
Wǒ yòu shuō: " Suīrán Yī Fēng shì zúqiúduì
我又说：“虽然伊锋是足球队
de qiánfēng, dǎyíng tā bìng bù nán." Wǒ hái
的前锋，打赢他并不难。”我还
shuō: " Yī Fēng yǐhòu yídìng bù gǎn zài lái nào
说：“伊锋以后一定不敢再来闹
le ......"
了……”

1 **了不起**: extraordinary; excellent
e.g. 他的功夫真是了不起。

2 **违背诺言**: not to keep one's word
e.g. 这个人违背了诺言，大家都很讨厌他。

3 **夸张**: boastful
e.g. 他说他懂十门外语，他太夸张了。

4 **炫耀**: show off

Wǒ wèile miànzi, fànle yí gè
我为了面子，犯了一个
dà cuòwù. Zài wǒ kuàilè de shíhou, wǒ
大错误。在我快乐的时候，我
méiyǒu gǎnjué dào zìjǐ de cuòwù. Dāngshí wǒ
没有感觉到自己的错误。当时我
shì dāyingle Yī Fēng de, wǒ yídìng bù
是答应[1]了伊锋的，我一定不
shuō chūqu zài gōngyuán li fāshēng de yíqiè.
说出去在公园里发生的一切。
Kěshì, wǒ zài shuō zìjǐ wěidà de shíhou,
可是，我在说自己伟大的时候，
wǒ wéibèile nuòyán. Zhè dàiláile yánzhòng de
我违背了诺言。这带来了严重的
hòuguǒ.
后果。

Wǎnshang, wǒ yúkuài de bǎ lùnwén
晚上，我愉快地把论文
xiěwán le.
写完了。

Dì-èr tiān shàngwǔ hěn zǎo, wǒ jiù láidào
第二天上午很早，我就来到
nǚshēng sùshèlóu zhǎo Xiǎowén. Wǒ zài nǚshēng
女生宿舍楼找晓雯。我在女生
sùshè ménkǒu děng Xiǎowén shí, juéde zìjǐ
宿舍门口等晓雯时，觉得自己
shì gè yīngxióng.
是个英雄[2]。

Wǒmen yí jiànmiàn, Xiǎowén jiù guānxīn
我们一见面，晓雯就关心

1 **答应**: to promise
e.g. 我请他帮忙，他答应了。

2 **英雄**: hero
e.g. 很多孩子都爱听英雄的故事。

de wèn: "Zuótiān wǎnshang wǒ cóng jiàoshì
地问："昨天晚上我从教室
huílai, tīngshuō zuótiān xiàwǔ nǐ hé Yī Fēng
回来，听说昨天下午你和伊锋
dào gōngyuán dǎjià le, shì ma? Yàobushì tài
到公园打架了，是吗？要不是太
wǎn de huà, wǒ zuótiān wǎnshang jiù qù zhǎo nǐ
晚的话，我昨天晚上就去找你
le. Zhè shì zhēn de ma?"
了。这是真的吗？"

Wǒ shuō: "Zhè yǒu shénme ya, dāngrán shì
我说："这有什么呀，当然是
zhēn de le."
真的了。"

Yílù shang, wèile zài nǚpéngyou miànqián
一路上，为了在女朋友面前
biǎoxiàn wǒ hěn wěidà, wǒ gèngjiā kuāzhāng de
表现我很伟大，我更加夸张地
tánle wǒ hé Yī Fēng de shì.
谈了我和伊锋的事。

Zài huílai de lùshang, wǒ hái zài xiàng
在回来的路上，我还在向
Xiǎowén tán wǒ de shènglì. Hòulái wǒ shuōle
晓雯谈我的胜利。后来我说了
yí jù: "Yī Fēng qǐng wǒ bú yào bǎ zhè jiàn
一句："伊锋请我不要把这件
shì gàosu biéren. Méi xiǎngdào Yī Fēng yě shì
事告诉别人。没想到伊锋也是
gè hěn ài miànzi de rén."
个很爱面子的人。"

Xiǎowén tūrán shuō: "Wǒ méi xiǎngdào nǐ huì wéibèi nuòyán."
晓雯突然说："我没想到你会违背诺言。"

"Nǐ shuō shénme?" Wǒ qíguài de kànzhe Xiǎowén.
"你说什么？"我奇怪地看着晓雯。

Xiǎowén dàshēng de hǎndào: "Nǐ bú shì dāying Yī Fēng, nǐ bù shuō chūqu ma?"
晓雯大声地喊道："你不是答应伊锋，你不说出去吗？"

Wǒ shuō: "Shì, shì a, dànshì wǒ wèi shénme bù shuō?"
我说："是，是啊，但是我为什么不说？"

Xiǎowén shēngqì de shuō: "Yī Fēng kěndìng huì lái zhǎo nǐ de."
晓雯生气地说："伊锋肯定会来找你的。"

Wǒ shuō: "Tā lái zhǎo wǒ yòu zěnmeyàng? Wǒ pà tā?"
我说："他来找我又怎么样？我怕他？"

Xiǎowén gèng shēngqì le, qì de shēngyīn dōu biàn le, shuō: "Nǐ bú pà tā, nǐ shì yīngxióng, xíngle ba?"
晓雯更生气了，气得声音都变了，说："你不怕他，你是英雄，行了吧？"

Wǒ yě hěn shēngqì de shuō: "Wǒ jiù shì
我也很生气地说："我就是
yīngxióng, zěnmeyàng?"
英雄，怎么样？"

Xiǎowén shuō: "Yǐhòu nǐ de shì gēn wǒ
晓雯说："以后你的事跟我
méi guānxi le." Ránhòu tā shēngqì de zǒu le.
没关系了。"然后她生气地走了。

Méi xiǎngdào wǒ hé wǒ xīn'ài de
没想到我和我心爱的
nǚpéngyou jiù zhèyàng fēnshǒu le.
女朋友就这样分手[1]了。

Děng wǒ rènshí dào wǒ de cuòwù shí,
等我认识到我的错误时，
yǐjīng wǎn le. Yì tiān wǎnshang, Yī Fēng yòu
已经晚了。一天晚上，伊锋又
hēzuì le, tā láidào wǒ de sùshè zhǎo wǒ.
喝醉了，他来到我的宿舍找我。
hēle jiǔ de Yī Fēng zhǎole tā de hěn duō
喝了酒的伊锋找了他的很多
gēmenr, tāmen dàochù shuō, yào yòng mùbàng
哥们儿，他们到处说，要用木棒[2]
dǎsǐ wǒ zhè gè wéibèi nuòyán de rén.
打死[3]我这个违背诺言的人。

Tóngxuémen zěnme quànzǔ Yī Fēng, Yī
同学们怎么劝阻伊锋，伊
Fēng yě bù tīng. Tā shǒu ná mùbàng pǎo zài
锋也不听。他手拿木棒跑在
qiánmian.
前面。

1 **分手**: split up; discontinue a relation
e.g. 他的女朋友跟他好了两年，可是他们还是分手了。

2 **木棒**: wooden stick

3 **死**: to die

Yī Fēng tòngkǔ de hǎnzhe : " Wǒmen kàn
伊锋痛苦地喊着："我们看
shuí xiān sǐ shuí hòu sǐ . "
谁先死，谁后死。"

Jiù zài zhè gè wēixiǎn de shíhou ,
就在这个危险的时候，
Xiǎowén lái le . Měilì de Xiǎowén chuānzhe yí
晓雯来了。美丽的晓雯穿着一
jiàn báisè de qúnzi . Zài nánshēng sùshèlóu
件白色的裙子。在男生宿舍楼
li , tā kūhóng le yǎnjing , tā zài Yī Fēng
里，她哭红了眼睛，她在伊锋
miànqián guìxià le .
面前跪下了。

Yī Fēng yěxǔ bèi zhè gè měilì de
伊锋也许被这个美丽的
nǚhái gǎndòng le , tā hěn xiōng de kànle wǒ
女孩感动[1]了，他很凶地看了我
yì yǎn , rēngxiàle shǒuzhōng de mùbàng . Shuí
一眼，扔下了手中的木棒。谁
yě méi xiǎngdào , Yī Fēng jiù dàizhe tā de
也没想到，伊锋就带着他的
gēmenr zǒu le .
哥们儿走了。

Wǒmen hái yǒu liǎng gè yuè jiù
我们还有两个月就
yào bìyè le , Yī Fēng què zài dì-èr tiān
要毕业了，伊锋却在第二天
líkāile dàxué xiàoyuán .
离开了大学校园。

1 **感动**: moved
e.g. 听了这个英雄的故事，孩子们都很感动。

Xiǎowén jiùle wǒ, zhǐshì yīnwèi wǒ
晓雯救[1]了我，只是因为我

shì tā de nánpéngyou. Zài dàxué de zuìhòu
是她的男朋友。在大学的最后

liǎng gè yuè li, wǒmen méiyǒu zài jiànmiàn,
两个月里，我们没有再见面，

tā yě yǒngyuǎn de líkāile wǒ.
她也永远地离开了我。

Dàxué bìyè hòu bùjiǔ, piàoliang de
大学毕业后不久，漂亮的

Xiǎowén gēn zhōngwénxì de yí gè hěn lǎoshi de
晓雯跟中文系的一个很老实[2]的

nán tóngxué jiéhūn le.
男同学结婚了。

Hòulái wǒ tīngshuō, Yī Fēng qùle yí
后来我听说，伊锋去了一

gè hěn yuǎn de dìfang. Yìzhí dào xiànzài, yě
个很远的地方。一直到现在，也

méiyǒu rén gēn tā liánxì shàng.
没有人跟他联系上。

Shíjǐ nián guòqu le, tóngxuémen yě mànmàn
十几年过去了，同学们也慢慢

de wàngjìle wǒmen de juédòu. Dànshì, wǒ
地忘记了我们的决斗。但是，我

duì nà tiān zài gōngyuán de juédòu què yǒngyuǎn
对那天在公园的决斗却永远

wàngbuliǎo. Wǒ xiǎng, wǒ yīnggāi bǎ nà tiān
忘不了。我想，我应该把那天

gōngyuán li fāshēng de yíqiè gàosu dàjiā,
公园里发生的一切告诉大家，

1 **救**: to save; to rescue
e.g. 他病得很危险，是这个医生救了他。

2 **老实**: honest and well behaved
e.g. 这个人很老实，你完全可以相信他。

bǎ zhēnshí de qíngkuàng gàosu dàjiā .
把真实的情况告诉大家。

This story is an abridged version of Wang Huaiyu's short story *What Happened in the Park*, which was published on *Fiction Monthly* (小说月报) No.1, 2004.

## About the author Wang Huaiyu (王怀宇):

Wang Huaiyu was born in 1966 in Zhenlai County, Jilin Province (吉林省). He graduated from the Chinese Department of Northeast Normal University in 1989. He is a member of Chinese Writers' Association. He began to write and publish his works in 1988. He has published the novel 漂过都市 and the novella and short stories 家族之疫, 狼群早已溃散, 站长老谁, 女孩. His published works total about a million characters.

## 思考题：

1. 故事中的“我”和伊锋为什么决斗？
2. 在决斗的时候“我”是怎么赢的？
3. 伊锋为什么输了这场决斗？
4. “我”的女朋友晓雯为什么离开了“我”？
5. 伊锋为什么在大学毕业前离开了学校？
6. “我”为什么要写在公园里发生的故事？
7. 故事中的“我”爱面子，伊锋也爱面子，你觉得他们两个人有什么不一样吗？

Sān ， Chūntiān de Yí Gè Yèwǎn

# 三、春天的一个夜晚

Yuánzhù： Qiú Shānshān

原著：裘 山 山

# 三、春天的一个夜晚

## Guide to reading:

*A Spring Evening* is the story of Fang Xin who is a new graduate with a master's degree. She is naive, yet has a strong personality. She always shows a sense of superiority and pride when engaging with her boyfriend, her boss and her clients. During dinner she jokes with male clients, she is charming, quick-witted and sharp-tongued. In the story, Li Xueyi, the general manager, is an experienced and successful business woman. Her experience shows that in the business world, a successful business woman must not only work hard, but also learn how to deal with her business opponents, especially the males. For a fulfilling life, what these women need are both a successful career and a warm family life. *A Spring Evening* reflects both the success and loneliness of white-collar women in modern society.

## 故事正文：

Fāng Xīn shì shuòshì yánjiūshēng . Tā
方欣是硕士研究生[1]。她

bìyè yǐhòu , zài yì jiā guǎnggào gōngsī
毕业以后，在一家广告[2]公司

zhǎodàole gōngzuò . Gōngsī lǎobǎn shì gè nǚ
找到了工作。公司老板是个女

de , sìshí duō suì , jiào Lǐ Xuěyí , Fāng Xīn
的，四十多岁，叫李雪仪，方欣

jiào tā Lǐ zǒng . Lǐ zǒng hěn piàoliang . Fāng
叫她李总[3]。李总很漂亮。方

Xīn yuànyi dào zhè gè gōngsī lái gōngzuò , jiùshì
欣愿意到这个公司来工作，就是

yīnwèi gōngsī lǎobǎn shì nǚ de , érqiě hěn
因为公司老板是女的，而且很

piàoliang . Fāng Xīn rènwéi piàoliang de nǚrén
漂亮。方欣认为漂亮的女人

bǐjiào wēnhuo . Fāng Xīn de nánpéngyou jiào
比较温和[4]。方欣的男朋友叫

Ā Míng . Ā Míng gàosu Fāng Xīn , rúguǒ nǚ
阿明。阿明告诉方欣，如果女

lǎobǎn piàoliang , hé tā yìqǐ chūqu bàn shì
老板漂亮，和她一起出去办事

jiù huì hěn fāngbiàn .
就会很方便。[5]

Kěshì Lǐ zǒng duì Fāng Xīn hěn yánlì .
可是李总对方欣很严厉[6]。

Lǐ zǒng bú xiàng tā xiǎng de nàme
李总不像她想的那么

1 **硕士研究生**: graduate student of master's degree

2 **广告**: advertisement
e.g. 这家公司做了很多广告，公司的生意非常好。

3 **总**: a suffix for addressing people of a leading position in a company
e.g. 李总，张总……

4 **温和**: gentle
e.g. 这个地方的气候很温和。
e.g. 她说话很温和。

5 This sentence implies that beautiful women will often experience trouble from men at work. If a boss is a beautiful woman, then her women subordinates may be free of some trouble.

6 **严厉**: stern; severe
e.g. 她是一个严厉的老师。

wēnhé . Fāng Xīn dào gōngsī cái liǎng gè yuè ,
温和。方欣到公司才两个月，
Lǐ zǒng jiù duì tā fāle yí cì píqi .
李总就对她发了一次脾气[1]。
Yǒu yí cì , Fāng Xīn xiěhǎo yí gè wénjiàn .
有一次，方欣写好一个文件。
Tā xiǎng , yǒule xiěhǎo de wénjiàn , cǎogǎo
她想，有了写好的文件，草稿[2]
jiù méiyòng le , tā jiù rēng le . Kěshì Lǐ
就没用了，她就扔了。可是李
zǒng fēi yào cǎogǎo bùkě , ràng tā bǎ cǎogǎo
总非要草稿不可，让她把草稿
zhǎo chūlai . Tā shuō cǎogǎo yǐjing rēng le ,
找出来。她说草稿已经扔了，
Lǐ zǒng mǎshàng duì tā hǎn dào : " Wǒ ràng nǐ
李总马上对她喊道："我让你
zhǎo chūlai ! " Fāng Xīn gǎndào hěn wěiqu .
找出来！"方欣感到很委屈[3]。
Fāng Xīn liúchūle wěiqu de yǎnlèi , tā zhēn
方欣流出了委屈的眼泪，她真
xiǎng duì Lǐ zǒng shuō : " Wǒ bú gàn le ! "
想对李总说："我不干了！"
Kěshì Fāng Xīn méiyǒu zhèyàng zuò , háishi bǎ
可是方欣没有这样做，还是把
cǎogǎo zhǎole chūlai , sòngdàole Lǐ zǒng de
草稿找了出来，送到了李总的
bàngōngshì .
办公室。

Fāng Xīn bǎ zhè jiàn shì gàosule tā de
方欣把这件事告诉了她的

1 **发脾气**: lose one's temper
e.g. 他经常发脾气，大家都不喜欢他。
2 **草稿**: draft
3 **感到委屈**: feel wronged
e.g. 他做了很多工作，可是老板还是不满意，他感到很委屈。

nánpéngyou Ā Míng. Ā Míng shuō: "Zhè hěn hǎo
男朋友阿明。阿明说："这很好
a, zhè shì duì nǐ de yí cì móliàn."
啊，这是对你的一次磨炼。"

Fāng Xīn shuō: "Nǐ jiù bú pà bǎ wǒ
方欣说："你就不怕把我
móchéng yí gè guānghuá de éluǎnshí ma?"
磨成一个光滑的鹅卵石[1]吗？"

Ā Míng shuō "Nà cái hǎo ne, nà wǒ
阿明说："那才好呢，那我
bàozhe cái shūfu ne."
抱着才舒服呢。"

Yǒu yì tiān, Fāng Xīn shàngjiē, zài shāngdiàn
有一天，方欣上街，在商店
li suíbiàn mǎile yí jiàn hónghuāhuā de bù
里随便买了一件红花花的布
yīfu. Shàngbān de shíhou, tā chuānzhe nà jiàn
衣服。上班的时候，她穿着那件
hónghuāhuā de yīfu, bǎ tā de cháng tóufa
红花花的衣服，把她的长头发
yě biānchéngle biànzi, tā juéde zìjǐ hěn
也编成了辫子[2]，她觉得自己很
niánqīng. Fāng Xīn gāng yì zǒujìn gōngsī dàlóu,
年轻。方欣刚一走进公司大楼，
tā de nán tóngshì jiù gēn tā kāi wánxiào, shuō:
她的男同事就跟她开玩笑，说：
"Hē, nǐ zhēn chéngle Xiǎo Fāng le." Fāng Xīn
"嗬，你真成了小芳[3]了。"方欣
fēicháng gāoxìng. Kěshì, Fāng Xīn méi xiǎngdào,
非常高兴。可是，方欣没想到，

1 鹅卵石: cobblestone
2 辫子: plaited braids of hair
3 小芳 is a girl's name and also the name of a popular 1990s song. It is often used to refer to a country girl today.

zǒujìn diàntī de shíhou, tā yùjianle Lǐ
走进电梯的时候,她遇见了李

zǒng, Lǐ zǒng bù gāoxìng de shuō: "Nǐ zěnme
总,李总不高兴地说:"你怎么

dǎban chéng le yí gè nóngcūnrén de yàngzi?
打扮成了一个农村人的样子?

Zhēn nánkàn!"
真难看!"

Fāng Xīn fēicháng shēngqì. Tā duì nánpéngyou
方欣非常生气。她对男朋友

Ā Míng shuōle zhè jiàn shì, tā shēngqì de mà
阿明说了这件事,她生气地骂

Lǐ zǒng: "Tā yídìng shì dàole gēngniánqī
李总:"她一定是到了更年期[1]

le, bù xǐhuan kàndào biéren niánqīng."
了,不喜欢看到别人年轻。"

Ā Míng shuō: "Búyào shēngqì, kěnéng nǐ
阿明说:"不要生气,可能你

nà yàngzi zhēn de hěn nánkàn!"
那样子真的很难看!"

Fāng Xīn shuō: "Wèi, wèi, wèi, nǐ
方欣说:"喂,喂,喂,你

zěnme huíshì a, zěnme bāngzhe Lǐ zǒng
怎么回事啊[2],怎么帮着李总

shuōhuà a?"
说话啊?"

Ā Míng xiàozhe shuō: "Nǐ rěnyirěn,
阿明笑着说:"你忍[3]一忍,

bié shēngqì."
别生气。"

1 **更年期**: menopause. The term is often used to describe some women of about 50 years of age who have an eccentric disposition.

e.g. 她经常发脾气,人们说她到了更年期。

2 **怎么回事**: What's the matter?

e.g. 她为什么哭了?这是怎么一回事?

3 **忍**: to forbear

e.g. 她太生气了,忍了一会儿,没忍住,还是发脾气了。

Fāng Xīn bù míngbai, wèi shénme tā de<br>
方欣不明白，为什么她的<br>
nánpéngyou zǒngshì bāng tā de lǎobǎn shuōhuà.<br>
男朋友总是帮她的老板说话。<br>
shìbushì Ā Míng yě xǐhuan piàoliang de<br>
是不是阿明也喜欢漂亮的<br>
nǚ lǎobǎn? Kěshì Ā Míng bú shì gōngsī de<br>
女老板？可是阿明不是公司的<br>
zhíyuán, yě méi jiànguo Lǐ zǒng a. Gōngsī<br>
职员，也没见过李总啊。公司<br>
li de nán zhíyuán dōu hàipà Lǐ zǒng. Tāmen<br>
里的男职员都害怕[1]李总。他们<br>
zài gēn fúwùyuán xiǎojie kāi wánxiào de shíhou,<br>
在跟服务员小姐开玩笑[2]的时候，<br>
zhǐyào lǎobǎn yì chūxiàn, fúwùyuán xiǎojie<br>
只要老板一出现，服务员小姐<br>
mǎshàng jiù bú jiàn le, nán zhíyuán dōu xiàngzhe<br>
马上就不见了，男职员都向着<br>
lǎobǎn wēixiào.<br>
老板微笑。

Jīntiān wǎnshang yǒu yí gè wǎnyàn. Lǐ<br>
今天晚上有一个晚宴[3]。李<br>
zǒng ràng Fāng Xīn gēn tā yìqǐ chūqu chī fàn,<br>
总让方欣跟她一起出去吃饭，<br>
hái ràng tā huí jiā dǎban yíxiàr, ràng tā<br>
还让她回家打扮[4]一下儿，让她<br>
dǎban de piàoliang yìdiǎnr. Fāng Xīn yǒudiǎnr<br>
打扮得漂亮一点儿。方欣有点儿<br>
bù gāoxìng. Tā bú tài yuànyi hé lǎobǎn yìqǐ<br>
不高兴。她不太愿意和老板一起

1 **害怕**: be afraid of; fear<br>
e.g.晚上她害怕出门，都待在家里。

2 **开玩笑**: make jokes<br>
e.g.这个人很有意思，他很喜欢开玩笑。

3 **晚宴**: dinner

4 **打扮**: dress up<br>
e.g.今天她们打扮得很漂亮。

chūqu chī fàn . Lìngwài , Fāng Xīn rènwéi , lǎobǎn
出去吃饭。另外，方欣认为，老板
zhǐyào shuō wǎnshang de yànhuì hěn zhòngyào jiù xíng
只要说晚上的宴会很重要就行
le . Tā xīnli xiǎng : wǒ zìjǐ huì dǎban de .
了。她心里想：我自己会打扮的。
Lǎobǎn shuō ràng tā dǎban de piàoliang yìdiǎn ,
老板说让她打扮得漂亮一点，
Fāng Xīn juéde zìjǐ hǎoxiàng shì yànhuì shàng de
方欣觉得自己好像是宴会上的
yí dào cài , ràng dàjiā pǐncháng . Fāng Xīn xīnli
一道菜，让大家品尝。方欣心里
gǎndào hěn bù yúkuài . Dànshì Fāng Xīn háishi huí
感到很不愉快。但是方欣还是回
jiā qù dǎban le .
家去打扮了。

Tā zhàn zài jiēdào pángbiān děng
她站在街道旁边等
gōnggòng qìchē de shíhou , hǎoxiàng tīngjian yǒu
公共汽车的时候，好像听见有
rén jiàole tā yì shēng , tā tái tóu kànle
人叫了她一声，她抬头看了
kàn , méi kànjian rén , kàndàole shù , kàndàole
看，没看见人，看到了树，看到了
chūntiān de lǜ shù . Fāng Xīn duìzhe shù xiàole
春天的绿树。方欣对着树笑了
yíxiàr , ránhòu tā juéde xīnqíng hǎo duō
一下儿，然后她觉得心情好多
le . Měi nián de chūntiān , Fāng Xīn dōu huì
了。每年的春天，方欣都会

yīnwèi shù ér gǎndào yúkuài .
因为树而感到愉快。

Jīntiān wǎnshang shì Fāng Xīn dì-yī cì hé lǎobǎn chūqu qǐng kèhù chī fàn , tā zhǔnbèi rènzhēn de dǎban dǎban . Suīrán tā shì yánjiūshēng bìyè , kěshì xiànzài zhǎo gōngzuò hěn nán , zhǎodào zhè gè gōngzuò yě shì bù róngyì de . Jīntiān wǎnshang tā xiǎng ràng lǎobǎn kàn yì kàn tā de nénglì , tā bù xiǎng ràng lǎobǎn juéde tā de nénglì hěn chà . Xiàng tāmen zhèyàng de guǎnggào gōngsī , kèhù hěn zhòngyào . Tāmen de kèhù jiù shì yínháng . Jīntiān wǎnshang de kèhù jiù shì yì jiā dà yínháng . Fāng Xīn xīnli hěn qīngchu , xiǎng cóng dà yínháng nàli zhuàn qián , bú shì yí jiàn róngyì de shì . Suǒyǐ Fāng Xīn duì jīnwǎn de yànhuì háishi hěn
今天晚上是方欣第一次和老板出去请客户吃饭，她准备认真地打扮打扮。虽然她是研究生毕业，可是现在找工作很难，找到这个工作也是不容易的。今天晚上她想让老板看一看她的能力，她不想让老板觉得她的能力很差。像他们这样的广告公司，客户很重要。他们的客户就是银行。今天晚上的客户就是一家大银行。方欣心里很清楚，想从大银行那里赚钱[1]，不是一件容易的事。所以方欣对今晚的宴会还是很

1 赚钱: make money; make a profit
e.g. 他很会赚钱，一年就赚了50万。

rènzhēn de . Chú cǐ zhī wài , Fāng Xīn hái yǒu
认真的。除此之外，方欣还有
biéde shì yào zhǎo lǎobǎn tán .
别的事要找老板谈。

Fāng Xīn huídào jiā , bǎ guìzi li de
方欣回到家，把柜子里的
yīfu dōu zhǎole chūlai , tā juéde nǎ jiàn
衣服都找了出来，她觉得哪件
yīfu dōu bù mǎnyì . Xiànzài shì sìyuè de
衣服都不满意。现在是四月的
tiānqì , bú tài lěng yě bú tài rè , chuānshǎo
天气，不太冷也不太热，穿少
le , pà gǎnmào , chuānduō le , yòu bù hǎokàn .
了，怕感冒，穿多了，又不好看。
Tā yòngle yí gè duō xiǎoshí , cái bǐjiào mǎnyì
她用了一个多小时，才比较满意
de xuǎnhǎole yì shēn yīfu : shàngmian shì yí
地选好了一身衣服：上面是一
jiàn báisè de yángróngshān , xiàmian shì yì tiáo
件白色的羊绒衫，下面是一条
hēisè de qúnzi , wàimian chuānle yí jiàn duǎn
黑色的裙子，外面穿了一件短
fēngyī . Ránhòu tā duìzhe jìngzi , yòu jiāshàng
风衣。然后她对着镜子，又加上
yì tiáo hóng sījīn . Tā juéde bù hǎokàn , yòu
一条红丝巾。她觉得不好看，又
huànle yì tiáo hēi-bái sījīn . Tā juéde tā
换了一条黑白丝巾。她觉得她
de dǎban yǒudiǎn sù . Dàn tā yòu xiǎng , tā
的打扮有点素[1]。但她又想，她

1 素: plain; ordinary
e.g.这件衣服的颜色很素。
e.g.她喜欢素打扮。

niánqīng, sù dǎban yě bù nánkàn.
年轻，素打扮也不难看。

Ránhòu, Fāng Xīn kāishǐ huàzhuāng.
然后，方欣开始化妆[1]。

Suīrán tā de zhuāng huà de hěn dàn, dànshì
虽然她的妆化得很淡[2]，但是

tā kàn shàngqu hěn piàoliang. Tā chū mén de
她看上去很漂亮。她出门的

shíhou, xīnli xiǎng, Lǐ zǒng, nǐ bú shì
时候，心里想，李总，你不是

ràng wǒ dǎban ma, nà wǒ jiù dǎban gěi nǐ
让我打扮吗，那我就打扮给你

kànkan, wǒ kě bú shì nóngcūn gūniang, bú huì
看看，我可不是农村姑娘，不会

dǎban. Děng nǐ kàndào wǒ de shíhou, wǒ
打扮。等你看到我的时候，我

kěnéng bǐ nǐ hái piàoliang ne.
可能比你还漂亮呢。

Fāng Xīn xīwàng Lǐ zǒng kànjian tā
方欣希望李总看见她

de shíhou, yǎnjing yí liàng. Guǒrán, Lǐ
的时候，眼睛一亮。果然[3]，李

zǒng jiàndào tā shí, zhēn de yǎnjing yí liàng.
总见到她时，真的眼睛一亮。

Tāmen zài jiǔdiàn wàimian jiànmiàn shí, Lǐ zǒng
她们在酒店外面见面时，李总

xiàozhe shuō: "Ō, nǐ hǎo piàoliang a!"
笑着说："噢，你好漂亮啊！"

Tàidu fēicháng hǎo, hǎoxiàng shì Fāng Xīn de hǎo
态度非常好，好像是方欣的好

1 **化妆**: make up
e.g. 她在公司上班，天天要化妆。

2 **淡**: light; **淡妆**, lightly made-up; **浓妆**, heavy make-up
e.g. 她喜欢化淡妆，不喜欢化浓妆。

3 **果然**: as expected
e.g. 他说要下雪了，果然下雪了。

péngyou. Fāng Xīn de liǎn hóng le. Miànduì tā
朋友。方欣的脸红了。面对她

de lǎobǎn, tā bù zhīdao zěnme huídá. Tā
的老板，她不知道怎么回答。她

yòng hěn xiǎo de shēngyīn shuō: "Nǎli, nǐ cái
用很小的声音说："哪里，你才

piàoliang ne!"
漂亮呢！"

Lǐ zǒng jīntiān wǎnshang quèshí hěn piàoliang,
李总今天晚上确实很漂亮，

Fāng Xīn zhēn de méi xiǎngdào. Lǐ zǒng chuānle yí
方欣真的没想到。李总穿了一

jiàn hěn piàoliang de, méiyǒu xiùzi de qípáo,
件很漂亮的、没有袖子的旗袍[1]，

lùchūle báibái de gēbo, gēbo shàng pīle
露出了白白的胳膊，胳膊上披了

yì tiáo chángcháng de pījiān. Tā de shēncái
一条长长的披肩。她的身材[2]

búcuò, jīntiān tā dǎban de zhēn piàoliang. Tā
不错，今天她打扮得真漂亮。她

de tóufa shì wǎn qǐlai de. Liǎnshang búdàn
的头发是绾[3]起来的。脸上不但

huàle zhuāng, hái cāle yānzhi. Fāng Xīn
化了妆，还擦了胭脂[4]。方欣

huàzhuāng cónglái bù cā yānzhi. Dāng tā kàndào
化妆从来不擦胭脂。当她看到

Lǐ zǒng liǎnshang de yānzhi shí, tā quèshí
李总脸上的胭脂时，她确实

kàndàole yānzhi dàigěi nǚrén de měilì. Fāng
看到了胭脂带给女人的美丽。方

1 **旗袍**: cheongsam; mandarin gown
e.g. 中国的旗袍很漂亮，样式也很多。

2 **身材**: figure; stature
e.g. 她的身材很好，穿旗袍很好看。

3 **绾**: coil up; tie up
e.g. 她把头发绾起来，看上去很漂亮。

4 **胭脂**: rouge

Xīn jīntiān wǎnshang huàzhuāng huà de yǒudiǎn tài sù le.
欣今天晚上化妆化得有点太素了。

Liǎng gè nǚrén zǒujìn jiǔdiàn, shàngle lóu.
两个女人走进酒店，上了楼。

Tāmen gānggāng zuòxià, liǎng wèi xiānsheng jiù bèi jiǔdiàn xiǎojie dài jìnlai le, hǎoxiàng tāmen zǎo jiù dào le, yìzhí děng zài nàli.
她们刚刚坐下，两位先生就被酒店小姐带进来了，好像他们早就到了，一直等在那里。

Jīntiān wǎnshang qǐng de kèhù shì gè hěn yǒu mèilì de nánrén, chuān de yīfu yě bù súqì. Lǎobǎn xìng Qí, dàjiā jiào tā Qí zǒng. Jīnwǎn Lǐ zǒng de tàidu biàn le, tā de wēixiào ràng Fāng Xīn juéde Lǐ zǒng hǎoxiàng shì huànle yí gè rén. Fāng Xīn zìjǐ yě gǎndào yǒuxiē xīngfèn. Qí zǒng de zhùshǒu yě búcuò, gèzi gāogāo de, yàngzi yǒu diǎnr xiàng diànyǐng míngxīng. Tāmen hùxiāng wòshǒu,
今天晚上请的客户是个很有魅力[1]的男人，穿的衣服也不俗气[2]。老板姓齐，大家叫他齐总。今晚李总的态度变了，她的微笑让方欣觉得李总好像是换了一个人。方欣自己也感到有些兴奋[3]。齐总的助手[4]也不错，个子高高的，样子有点儿像电影明星[5]。他们互相握手，

1 **魅力**: charm

2 **俗气**: tacky; vulgar
e.g. 这个人穿衣服很俗气，说话也很俗气，大家都不喜欢他。

3 **兴奋**: excited
e.g. 他们喝酒喝得很兴奋，话也特别多。

4 **助手**: assistant
e.g. 这个老板很忙，他有三个助手。

5 **明星**: star
e.g. 电影明星 (film star)，足球明星 (football star)……

hùxiāng jièshào. Ránhòu, dàjiā jiù zuòxià le.
互相介绍。然后，大家就坐下了。

Lǐ zǒng ānpái Qí zǒng zuò zài zhōngjiān, Lǐ zǒng hé Fāng Xīn zuò zài tā de zuǒbian hé yòubian. Qí zǒng de zhùshǒu zuò zài Fāng Xīn de duìmiàn. Kànzhe tā de yàngzi, Fāng Xīn gǎndào hěn shūfu. Gāngcái tā gěi tā míngpiàn shí, Fāng Xīn kàndào shàngmian xiězhe, tā xìng Sīmǎ, "yèwù zhǔguǎn". Fāng Xīn xīnli zhīdao, tā bù yídìng shì zhēn de "yèwù zhǔguǎn", yǒude rén yīnwèi huì hē jiǔ, jiù chéngle yèwù zhǔguǎn.
李总安排齐总坐在中间，李总和方欣坐在他的左边和右边。齐总的助手坐在方欣的对面。看着他的样子，方欣感到很舒服。刚才他给她名片[1]时，方欣看到上面写着，他姓司马，"业务主管"[2]。方欣心里知道，他不一定是真的"业务主管"，有的人因为会喝酒，就成了业务主管。

Jīntiān wǎnshang, Fāng Xīn bù míngbai Lǐ zǒng wèi shénme zhǐ ràng tā yí gè rén lái. Tāmen liǎng gè nǚrén, tán shēngyi, néng xíng ma? Lǐ zǒng zài jièshào Fāng Xīn shí, shuō:
今天晚上，方欣不明白李总为什么只让她一个人来。她们两个女人，谈生意[3]，能行吗？李总在介绍方欣时，说：

1 **名片**: business card

2 **业务主管**: business executive. Some companies often make deals and establish relationships at the dinner table. Some people with high alcohol tolerance and good social skills may be given titles such as business executive to help their bosses in these business activities.

3 **谈生意**: do business with

e.g. 很多商人都喜欢在饭桌上谈生意。

“ Wǒ zhè wèi zhùshǒu hái shì yí gè shuòshì
“我这位助手还是一个硕士

ne . ” Qí zǒng kuāzhāng de shuō : “ Wǒ méi
呢。”齐总夸张[1]地说：“我没

xiǎngdào nǚqiángrén bùjǐn yǒu nénglì , érqiě
想到女强人[2]不仅有能力，而且

gègè dōu piàoliang . ” Lǐ zǒng shuō : “ Shénme
个个都漂亮。”李总说：“什么

nǚqiángrén na , wǒmen dōu shì xiē ruò nǚzǐ ,
女强人哪，我们都是些弱女子，

duì ba , Fāng Xīn ? ”
对吧，方欣？”

Fāng Xīn tīngzhe , diǎntóu biǎoshì tóngyì Lǐ
方欣听着，点头表示同意李

zǒng de huà , dàn xīnli gǎndào bú tài gāoxìng .
总的话，但心里感到不太高兴。

Tā zuì bù xǐhuan Lǐ zǒng shuō tā shì shuòshì .
她最不喜欢李总说她是硕士。

Fāng Xīn juéde Lǐ zǒng zhèyàng jièshào , hǎoxiàng
方欣觉得李总这样介绍，好像

zài gàosu biéren : “ Nǐmen kànkan , shuòshì dōu
在告诉别人：“你们看看，硕士都

gěi wǒ dǎgōng ! Nǐmen kànkan , lián wǒ de
给我打工[3]！你们看看，连我的

zhùshǒu dōu shì shuòshì . ”
助手都是硕士。”

Fāng Xīn gēn Ā Míng tán zhè jiàn shìr
方欣跟阿明谈这件事儿

de shíhou , Ā Míng shuō : “ Nǐ bié xiǎng de
的时候，阿明说：“你别想得

1 **夸张**: exaggeratedly
2 **女强人**: successful and capable woman
3 **打工**: work for; do temporary work
e.g. 她在给一家广告公司打工。
e.g. 他在北京打了两年工。

tài duō le . Kěnéng Lǐ zǒng bú shì nà gè
太多了。可能李总不是那个
yìsi ne . ” Fāng Xīn shuō : “ Tā shuōhuà de
意思呢。”方欣说：“她说话的
yàngzi , jiù hǎoxiàng shì zhè gè yìsi . ” Ā
样子，就好像是这个意思。”阿
Míng shuō : “ Nǐ bié xiǎng de tài duō le , nǐ
明说：“你别想得太多了，你
yào ràng tā mànmàn de xiāngxìn nǐ . ”
要让她慢慢地相信你。”

Fāng Xīn zhīdao jīntiān wǎnshang tán
方欣知道今天晚上谈
shēngyi , dàjiā dōu yào hē jiǔ , tā qiāoqiāo
生意，大家都要喝酒，她悄悄
de zuòhǎole zhǔnbèi , bǎ cā shǒu de máojīn
地做好了准备，把擦手的毛巾
qiāoqiāo de liúle xiàlai .
悄悄地留了下来。

Lǐ zǒng yìbiān liáotiānr yìbiān
李总一边聊天儿[1]一边
jièshào gōngsī de qíngkuàng . Lǐ zǒng shuōhuà
介绍公司的情况。李总说话
hěn hǎotīng , ràng tā zhè gè zhùshǒu hěn
很好听，让她这个助手很
yǒu miànzi . Dàjiā hēle sān bēi jiǔ zhīhòu ,
有面子。大家喝了三杯酒之后，
Lǐ zǒng yǒuxiē xīngfèn le , huà yě mànmàn de
李总有些兴奋了，话也慢慢地
duōle qǐlai , shuōhuà yě mànmàn de suíbiàn
多了起来，说话也慢慢地随便

1 **聊天儿**: to chat
e.g. 老年人喜欢在公园、茶馆聊天儿。
e.g. 年轻人喜欢在网上聊天儿。

qǐlai , érqiě yuèláiyuè yǒu nǚrén de mèilì .
起来，而且越来越有女人的魅力。
Búguò Fāng Xīn kàn de chūlai , tā liǎnshang de
不过方欣看得出来，她脸上的
hóng shì yānzhihóng , bú shì yīnwèi hēle jiǔ ,
红是胭脂红，不是因为喝了酒，
dàgài Lǐ zǒng shì hē jiǔ bù hóngliǎn de rén .
大概李总是喝酒不红脸的人。
Zhè shí Lǐ zǒng xiàng yí gè niánqīng gūniang
这时李总像一个年轻姑娘
nàyàng , wāizhe tóu , tīngzhe tā shēnbiān de
那样，歪着头，听着她身边的
nánrén kuā tā .
男人夸她。

Fāng Xīn xīnli xiǎng , Lǐ zǒng yě huì wèi
方欣心里想，李总也会为
shuàiqì de nánrén dòngxīn ma ? Lǐ zǒng de
帅气[1]的男人动心[2]吗？李总的
gōngsī yǒu hěn duō shuàiqì de nánrén , dànshì Lǐ
公司有很多帅气的男人，但是李
zǒng duì tāmen zǒngshì bù lěng bú rè de . Yǒu
总对他们总是不冷不热的。有
yí cì , Fāng Xīn tīngjian gōngsī de nán zhíyuán
一次，方欣听见公司的男职员
jiào Lǐ zǒng " báigǔjīng " . Fāng Xīn juéde hěn
叫李总“白骨精”[3]。方欣觉得很
qíguài . Nán zhíyuán shuō zhè shì kuā tā de .
奇怪。男职员说这是夸她的。
Zhè shì yīnwèi Lǐ zǒng shì báilǐng , gǔgàn hé
这是因为李总是白领、骨干和

1 **帅气**: handsome; smart
e.g. 这个小伙子长得很帅气。

2 **动心**: one's desire or interest is aroused
e.g. 这个姑娘很漂亮，很多小伙子都动了心。

3 **白骨精** here is used as a pun, the word usually means White Bone Demon, a wicked and treacherous female spirit in the novel *Journey to the West*. But here **白骨精** refers to **白** white collar, **骨** backbone, and **精** elite in an enterprise.

jīngyīng. Fāng Xīn tīngle zhīhòu, xiào le. Fāng
精英。方欣听了之后，笑了。方
Xīn xiǎngle xiǎng, tāmen shuō de yě duì. Lǐ
欣想了想，他们说得也对。李
zǒng suīrán sìshí duō suì le, dànshì, tā rén
总虽然四十多岁了，但是，她人
piàoliang, yǒu qián, hái cōngmíng, shuí gǎn hé
漂亮，有钱，还聪明，谁敢和
tā tiáoqíng a! Tīngshuō Lǐ zǒng yǐjing
她调情[1]啊！听说李总已经
líhūn qī-bā nián le, dàjiā yě méi jiàn tā
离婚[2]七八年了，大家也没见她
shēnbiān chūxiànguo shénme nánrén.
身边出现过什么男人。

Fànzhuō shàng, Lǐ zǒng hēle jiǔ zhīhòu,
饭桌上，李总喝了酒之后，
shuōhuà de shēngyīn yě biàn le. Tā duìzhe
说话的声音也变了。她对着
kèhù lǎobǎn shuō: "Qí zǒng, lái, wǒ zài
客户老板说："齐总，来，我再
jìng nǐ yì bēi."
敬你一杯[3]。"

Qí zǒng duānqǐ bēizi kāi wánxiào de shuō:
齐总端起杯子开玩笑地说：
"Wǒ zhǐshì yí gè fùzǒng, érqiě hái shì
"我只是一个副总[4]，而且还是
wǔ gè fùzǒng zhī yī."
五个副总之一。"

Lǐ zǒng shuō: "Nǐ zài wǒ yǎnli jiù
李总说："你在我眼里就

1 **调情**: to flirt
2 **离婚**: to divorce
e.g. 这个孩子的父母离婚了，他很痛苦。
e.g. 现在离婚的人越来越多。
3 **敬你一杯**: make a toast to you **敬**, a polite word
e.g. 敬酒 (propose a toast), 敬茶 (serve tea)……
4 **副总**: deputy general manager

shì zǒngjīnglǐ . Zàishuō , zhè bēi jiǔ bú shì
是总经理。再说，这杯酒不是
wèi gōngzuò de shì , jiù wèi nǐ zhè gè rén .
为工作的事，就为你这个人。
Shuō zhēn de , shēnghuó li hái yǒu nǐ zhèyàng
说真的，生活里还有你这样
chénggōng de nánrén , érqiě hái shì yǒu mèilì
成功的男人，而且还是有魅力
de nánrén , wǒmen nǚrén kànzhe jiù gāoxìng ,
的男人，我们女人看着就高兴，
duìbuduì , Fāng Xīn ? ”
对不对，方欣？”

Fāng Xīn gǎnmáng jiēzhe shuō : “ Bùjǐn shì
方欣赶忙接着说：“不仅是
gāoxìng , érqiě shì fēicháng gāoxìng . ”
高兴，而且是非常高兴。”

Fāng Xīn shuōwán , juéde tā shuō de huà
方欣说完，觉得她说的话
méi shénme yìsi . Dànshì , zuò zài tā duìmiàn
没什么意思。但是，坐在她对面
de nàge nán zhùshǒu Sīmǎ què duì tā xiàole
的那个男助手司马却对她笑了
xiào , hǎoxiàng hěn xīnshǎng tā de huà . Qí zǒng
笑，好像很欣赏她的话。齐总
shuō : “ Zhè huà yìnggāi wǒ lái shuō . Rénmen cháng
说：“这话应该我来说。人们常
shuō , nǚrén ràng zhè shìjiè biàn de měilì .
说，女人让这世界变得美丽。
Duì ba , Sīmǎ ? ” Sīmǎ yě gǎnmáng shuō :
对吧，司马？”司马也赶忙说：

“ Shì a ! Zhǐshì bù zhīdao wǒmen zěnyàng zuò ,
“是啊！只是不知道我们怎样做，
cái néng dǎdòng tāmen de fāngxīn ? ”
才能打动她们的芳心？”[1]

Sīmǎ kànzhe Fāng Xīn . Fāng Xīn tīng
司马看着方欣。方欣听
le , dà shēng de xiào qǐlai . Biéren méiyǒu
了，大声地笑起来。别人没有
míngbai tā xiào shénme . Fāng Xīn duì Sīmǎ shuō :
明白她笑什么。方欣对司马说：
“ Sīmǎ xiānsheng , zánmen liǎng gè zhùshǒu ,
“司马先生，咱们两个助手，
yě pèng gè bēi ba . ” Sīmǎ shuō : “ Hǎo
也碰个杯吧。”司马说：“好
a ! ” Zhè shí , Qí zǒng duānqǐ bēizi , shuō :
啊！”这时，齐总端起杯子，说：
“ Láilái , wǒ yě gēn nǐmen yìqǐ hē . ” Zhè
“来来，我也跟你们一起喝。”这
shí Lǐ zǒng yě mǎshàng shuō : “ Hǎo ba , wǒmen
时李总也马上说：“好吧，我们
yìqǐ hē ba . ”
一起喝吧。”

Jiéguǒ yì zhuōzi de rén dōu zhàn qǐlai
结果一桌子的人都站起来
le , dàjiā de jiǔbēi pèng de hěn xiǎng .
了，大家的酒杯碰得很响。

Qí zǒng dàgài shì jiǔliàng bú dà ,
齐总大概是酒量不大，
huòzhě shì yīnwèi xīngfèn , shēnzi yì wāi ,
或者是因为兴奋，身子一歪，

1 **芳心** here is used as a pun. **芳心** means the heart of a young woman. In the story, the pronunciation is the same as **方欣**, and it implies here the assistant Sima is flattering Fang Xin.

pèngdiàole Lǐ zǒng de kuàizi . Tā gǎnmáng shuō
碰掉了李总的筷子。他赶忙说

duìbuqǐ , jiào jiǔdiàn de xiǎojie guòlai huàn
对不起，叫酒店的小姐过来换

yì shuāng kuàizi . Xiǎojie mángzhe dào jiǔ , méi
一双筷子。小姐忙着倒酒，没

mǎshàng guòlai . Qí zǒng xiǎng fā píqi , Lǐ
马上过来。齐总想发脾气，李

zǒng gǎnmáng náqǐ cānjīnzhǐ cāzhe kuàizi ,
总赶忙拿起餐巾纸[1]擦着筷子，

shuō : " Méi guānxi , méi guānxi , wǒ gānxǐ
说："没关系，没关系，我干洗

yíxià jiù xíng le . Xiànzài rénmen bù dōushì
一下就行了。现在人们不都是

xǐhuan gānxǐ ma ? "
喜欢干洗吗？"

Dàjiā tīngle Lǐ zǒng de huà , dōu xiào
大家听了李总的话，都笑

le . Fāng Xīn tūrán juéde tā de lǎobǎn hái
了。方欣突然觉得她的老板还

dǒng yōumò . Fāng Xīn xiǎng : kànlái jiǔ zhēn
懂幽默[2]。方欣想：看来酒真

shì gè hǎo dōngxi ne , dàjiā píngshí kàn bú
是个好东西呢，大家平时看不

jiàn de dōngxi , hēle jiǔ jiù chūxiàn le .
见的东西，喝了酒就出现了。

Zhè shí Fāng Xīn tīngjian shǒujī xiǎngle
这时方欣听见手机[3]响了

yíxiàr , tā zhīdao yídìng shì Ā Míng fā
一下儿，她知道一定是阿明发

1 **餐巾纸**: tissue

2 **幽默**: humorous

e.g. 这个电影很幽默，人们都喜欢看。

e.g. 他说话很幽默，大家都喜欢和他开玩笑。

3 **手机**: cell phone

e.g. 如果你有事找我，就打我的手机。

e.g. 我的手机没电了，打不了电话。

de duǎnxìn . Ā Míng zhīdao tā jīnwǎn yǒu
的 短信[1]。阿 明 知道 她 今晚 有

yànhuì , dàgài yǒu xiē bú fàngxīn , jiù gěi
宴会，大概 有 些 不 放心，就 给

tā fāle duǎnxìn . Fāng Xīn kànle yíxià ,
她 发了 短信。方 欣 看了 一下，

yì tiáo xìnxī xiědào : nǐ cāi wǒ xiànzài gàn
一 条 信息 写道：你 猜 我 现在 干

shénme ne ? yī . xiǎng nǐ ; èr . hěn xiǎng nǐ ; sān .
什么 呢？ 1. 想 你；2. 很 想 你；3.

fēicháng xiǎng nǐ ; sì . bù xiǎng nǐ bùxíng ; wǔ .
非常 想 你；4. 不 想 你 不行；5.

jiùshì xiǎng nǐ .
就是 想 你。

Fāng Xīn xiàoxiào , jiǎndān de huíle yí jù
方 欣 笑笑，简单 地 回了 一 句

Yīngwén : Me , too ( wǒ yě shì ) . Kěshì yì
英文：Me，too（我 也 是）。可是 一

fēnzhōng hái bú dào , duǎnxìn yòu lái le . Qí
分钟 还 不 到，短信 又 来 了。齐

zǒng zhèng duānzhe bēizi yào jìng tā jiǔ , shuō :
总 正 端着 杯子 要 敬 她 酒，说：

" Fāng xiǎojie yídìng shì tán liàn'ài le , zhème
“方 小姐 一定 是 谈 恋爱[2] 了，这么

duō duǎnxìn . " Fāng Xīn yìbiān duān jiǔbēi yìbiān
多 短信。” 方 欣 一边 端 酒杯 一边

shuō : " Qí zǒng , nǐ zhēn yǒu jīngyàn , yí kàn
说：“齐 总，你 真 有 经验，一 看

jiù kàn chūlai le . " Qí zǒng shuō : " Lái , zhù
就 看 出来 了。” 齐 总 说：“来，祝

1 **发短信**: send a text message
e.g. 我给你发了两条手机短信。

2 **谈恋爱**: be in love
e.g. 他谈了很多次恋爱，都没谈成，他现在还没结婚。

nǐ xìngfú . ” Fāng Xīn shuōle shēng xièxie , zài
你幸福。”方欣说了声谢谢，在
dàjiā de miànqián bǎ jiǔ dōu hēguāng le . Zài
大家的面前把酒都喝光了。在
zhè yǐqián , tā hē de jiǔ dōu tù zài le cā
这以前，她喝的酒都吐在了擦
shǒu de máojīn li . Tā zhīdao , tā bù néng
手的毛巾里。她知道，她不能
zuì , tā hái děi máidān , tā hái děi zhàogu
醉[1]，她还得埋单[2]，她还得照顾
Lǐ zǒng .
李总。

Qí zǒng jiàn tā yì kǒu bǎ jiǔ hēguāng
齐总见她一口把酒喝光
le , shuō : “ Fāng xiǎojie zhēn búcuò , zhēn néng
了，说：“方小姐真不错，真能
hē jiǔ . ” Yòu duì Lǐ zǒng shuō : “ Lǐ zǒng ,
喝酒。”又对李总说：“李总，
nǐ kě zhēn nénggàn , néng zhǎodào zhème hǎo de
你可真能干，能找到这么好的
zhùshǒu , yǒu zhīshi , yòu piàoliang , hái néng hē
助手，有知识，又漂亮，还能喝
jiǔ . ” Lǐ zǒng shuō : “ Shì Fāng xiǎojie zìjǐ
酒。”李总说：“是方小姐自己
yuànyi dào wǒ gōngsī lái de . ” Fāng Xīn yě
愿意到我公司来的。”方欣也
jiēzhe shuō : “ Wǒmen yě shì hùxiāng guānxīn ,
接着说：“我们也是互相关心，
hùxiāng tóngqíng . ” Qí zǒng shuō : “ Nǐmen zhèxiē
互相同情。”齐总说：“你们这些

1 **醉**: drunk
e.g. 他喝酒总是喝醉，他妻子和他离婚了。
2 **埋单**: pay the bill
e.g. 今天吃饭我埋单，你就别客气了。

nǚqiángrén bàn gōngsī, yídìng huì yǒu dà fāzhǎn
女强人办公司，一定会有大发展
de." Lǐ zǒng shuō: "Nǎli, wǒmen hái děi
的。”李总说：“哪里，我们还得
kào nǐmen de bāngzhù a! Nǚrén zài nénggàn,
靠你们的帮助啊！女人再能干，
yě líbukāi nánrén de bāngzhù a." Fāng Xīn
也离不开男人的帮助啊。”方欣
shuō: "Kěbushì, méiyǒu nánrén de bāngzhù,
说：“可不是，没有男人的帮助，
wǒmen jiù xiàng méiyǒu gēn de huā yíyàng."
我们就像没有根的花一样。”

Qí zǒng shuō: "Wǒmen shì yángguāng yǔlù
齐总说：“我们是阳光雨露[1]
a? Búguò wǒ hěn yuànyi bāngzhù nǐmen zhèyàng
啊？不过我很愿意帮助你们这样
de huā."
的花。”

Dàjiā dōu xiàole qǐlai, měi gè rén dōu
大家都笑了起来，每个人都
gǎndào hěn kāixīn.
感到很开心。

Kànlái tāmen de kèhù jīnwǎn quèshí
看来她们的客户今晚确实
hē de hěn gāoxìng. Qí zǒng shuōqǐle zìjǐ
喝得很高兴。齐总说起了自己
yùdào de gè zhǒng kùnnan hé gè zhǒng jīnglì.
遇到的各种困难和各种经历。
Lǐ zǒng hǎoxiàng tīng de hěn rènzhēn, yǒushí
李总好像听得很认真，有时

1 **阳光雨露：** sunshine, rain and dew; favor bestowed

tā yě shuō jǐ jù : " Ā , zhēn bù jiǎndān
她也说几句："啊，真不简单
a ! " " Méi xiǎngdào nǐ zhème bù róngyì ! "
啊！""没想到你这么不容易！"
Děngděng .
等等。

Fāng Xīn tīng Ā Míng shuōguo , jiǔzhuō shàng
方欣听阿明说过，酒桌上
yìbān yǒu sān gè jiēduàn , dì-yī gè jiēduàn
一般有三个阶段，第一个阶段
shì tiányán-mìyǔ ; dì-èr gè jiēduàn
是甜言蜜语[1]；第二个阶段
shì háoyán-zhuàngyǔ ; dì-sān gè jiēduàn shì
是豪言壮语[2]；第三个阶段是
húyán-luànyǔ . Kànlái tāmen shì yào jìnrù
胡言乱语[3]。看来他们是要进入
dì-sān gè jiēduàn le . Búguò Fāng Xīn
第三个阶段了。不过方欣
juéde jīnwǎn de jiǔyàn bǐjiào yǒu yìsi ,
觉得今晚的酒宴比较有意思，
zhǔyào shì zhèxiē kèhùmen bǐjiào yǒu yìsi .
主要是这些客户们比较有意思。
Tā kànle kàn duìmiàn de Sīmǎ xiānsheng ,
她看了看对面的司马先生，
Sīmǎ xiānsheng méiyǒu rènzhēn tīng tā de lǎobǎn
司马先生没有认真听他的老板
shuōhuà , érshì zài kàn tā . Fāng Xīn xiàng tā
说话，而是在看她。方欣向他
duānqǐ jiǔbēi , liǎng rén wēixiào diǎntóu , hēle
端起酒杯，两人微笑点头，喝了

1 **甜言蜜语**: sweet words and honeyed phrases
e.g. 他们说的是甜言蜜语，可是做的又是一回事。

2 **豪言壮语**: proud words; grandiloquence

3 **胡言乱语**: talk nonsense
e.g. 他们喝酒喝多了，开始胡言乱语了。

diǎnr jiǔ .
点儿酒。

Fāng Xīn de shǒujī yòu xiǎng le . Fāng
方欣的手机又响了。方
Xīn jiǎzhuāng shàng wèishēngjiān , jiù názhe shǒujī
欣假装[1]上卫生间，就拿着手机
chūqu le . Tā yí kàn sān tiáo duǎnxìn , dōu shì
出去了。她一看三条短信，都是
Ā Míng de , měi tiáo dōu shì àiqíng duǎnxìn .
阿明的，每条都是爱情短信。
Fāng Xīn míngbai , Ā Míng shì zài gàosu tā
方欣明白，阿明是在告诉她
bié wàngle tā . Fāng Xīn yǒu diǎn shēngqì . Tā
别忘了他。方欣有点生气。她
xīn xiǎng , jiǔzhuō shang wǒ néng gàn shénme ?
心想，酒桌上我能干什么？
Tā méi huí duǎnxìn . Tūrán tā yòu shōudào yì
她没回短信。突然她又收到一
tiáo duǎnxìn . Zhè yì tiáo bú shì Ā Míng de ,
条短信。这一条不是阿明的，
diànhuà hàomǎ tā yě bù zhīdao shì shuí de .
电话号码她也不知道是谁的。
duǎnxìn xiězhe : wǒ , wǒ , wǒ xiǎng hé nǐ ,
短信写着：我，我，我想和你，
wǒ xiǎng hé nǐ zuò yí cì ài , wǒ xiǎng hé
我想和你做一次爱，我想和
nǐ zuò yí cì àiguó zhǔyì de tǎolùn .
你做一次爱国主义的讨论。[2]

Zhè shì shuí fā de duǎnxìn ? Zhème
这是谁发的短信？这么

1 **假装**: to pretend
e.g. 妈妈进来的时候，他假装睡着了。

2 **做一次爱** means to make love. **做一次爱国主义的讨论** means to have a discussion on patriotism. So this is a flirtatious message. This message makes fun of the words.

tǎoyàn ! Fāng Xīn juéde hǎoxiào , yòu yǒu diǎn
讨厌！方欣觉得好笑，又有点
shēngqì , jiù bǎ zhè tiáo duǎnxìn yòu zhuǎnfā gěile
生气，就把这条短信又转发给了
Ā Míng .
阿明。

Huídào jiǔzhuō shang , Fāng Xīn tūrán
回到酒桌上，方欣突然
kàndào , Qí zǒng zhèng bǎ tā de pàng shǒu fàng
看到，齐总正把他的胖手放
zài Lǐ zǒng de tuǐ shàng . Zhè ràng tā hěn
在李总的腿上。这让她很
chījīng . Fāng Xīn xīnli hěn bù shūfu . Zhèxiē
吃惊。方欣心里很不舒服。这些
nánrén zhème súqì ! Fāng Xīn tǎoyàn zhèxiē
男人这么俗气！方欣讨厌这些
súqì de nánrén , jǐnguǎn tā zhīdao zhè shì
俗气的男人，尽管她知道这是
yīnwèi Qí zǒng hē jiǔ hēduō le .
因为齐总喝酒喝多了。

Tūrán Sīmǎ xiānsheng xiàozhe duì Fāng
突然司马先生笑着对方
Xīn shuō : " Zěnmeyàng ? Hǎowán ma ? " Fāng Xīn
欣说："怎么样？好玩吗？"方欣
yíxiàzi méiyǒu míngbai tā de yìsi . Sīmǎ
一下子没有明白他的意思。司马
shuō : " Shì duǎnxìn a ! " Fāng Xīn mǎshàng míngbai
说："是短信啊！"方欣马上明白
le , gāngcái shì tā fā de duǎnxìn ! Dànshì Fāng
了，刚才是他发的短信！但是方

Xīn gùyì shuō: " Nǐ shì shuō wǒ nánpéngyou
欣故意说:"你是说我男朋友
fā de nàxiē duǎnxìn ma ? " Sīmǎ shuō: " Bú
发的那些短信吗?"司马说:"不
shì, shì wǒ gěi nǐ fā de nà tiáo ! " Fāng
是,是我给你发的那条!"方
Xīn jiǎzhuāng chījīng de shuō: " Nǐ gěi wǒ fā
欣假装吃惊地说:"你给我发
de ? Wǒ zěnme méi kànjian ? " Sīmǎ yǐwéi
的?我怎么没看见?"司马以为
tā zhēn de méi shōudào, shuō: " Jiùshì gāngcái
她真的没收到,说:"就是刚才
fā de a . " Fāng Xīn shuō: " Wǒ zhēn de méi
发的啊。"方欣说:"我真的没
shōudào, wǒ shǒujī li dōu shì wǒ nánpéngyou
收到,我手机里都是我男朋友
de duǎnxìn . " Sīmǎ náchū zìjǐ de shǒujī,
的短信。"司马拿出自己的手机,
shuō: " Zhēn qíguài, wǒ shǒujī shàng xiǎnshì de
说:"真奇怪,我手机上显示的
shì chénggōng fāchū a . " Fāng Xīn shuō: " Yǒu
是成功发出啊。"方欣说:"有
shíhou shì zhèyàng de, wǒ yě yùdàoguo . "
时候是这样的,我也遇到过。"
Sīmǎ shuō: " Nà wǒ zài gěi nǐ fā yí cì . "
司马说:"那我再给你发一次。"
Fāng Xīn gǎnmáng shuō: " Láilái, hē jiǔ,
方欣赶忙说:"来来,喝酒,
wǒmen yìqǐ lái jìng wǒmen de lǎobǎn ba . "
我们一起来敬我们的老板吧。"

Yànhuì jiéshù de shíhou, Lǐ
宴会结束的时候，李
zǒng yǐjing zuì le, shuōhuà yě luàn le. Tā
总已经醉了，说话也乱了。她
wòzhe Qí zǒng de shǒu, shuōle shí duō cì
握着齐总的手，说了十多次
gàobié de huà, èrshí duō cì gǎnji de huà,
告别的话，二十多次感激的话，
sānshí duō cì xīwàng hézuò chénggōng de
三十多次希望合作成功的
huà. Qí zǒng yě chàbuduō, yì shǒu wòzhe
话。齐总也差不多，一手握着
Lǐ zǒng de shǒu, lìng yì zhī shǒu pāizhe Lǐ
李总的手，另一只手拍着李
zǒng de gēbo, yì shēng yòu yì shēng de
总的胳膊，一声又一声地
shuō: "Méi wèntí, wǒmen yídìng huì hézuò
说："没问题，我们一定会合作
chénggōng de." Tā hái shuō, jīnwǎn tā fēicháng
成功的。"他还说，今晚他非常
yúkuài, xīwàng yǐhòu hái yǒu jīhui hé tāmen
愉快，希望以后还有机会和她们
hē jiǔ. Tā hái shuō, tā cónglái méi jiànguo
喝酒。他还说，他从来没见过
tāmen zhèyàng piàoliang de nǚqiángrén …… Sīmǎ
她们这样漂亮的女强人……司马
xiānsheng yě gēnzhe shuō: "Yǔ nǐmen zhèyàng
先生也跟着说："与你们这样
měilì de nǚshì yìqǐ dùguò yí gè chūntiān
美丽的女士一起度过[1]一个春天

1 度过: to spend

de yèwǎn, zhēnshì xìngfú." Fāng Xīn xiàozhe
的夜晚，真是幸福。”方欣笑着
yìbiān tīng yìbiān diǎntóu. Tā xīnli xiǎng,
一边听一边点头。她心里想，
shìjiè shàng hǎotīng de huà dōu ràng nǐmen
世界上好听的话都让你们
shuōwán le.
说完了。

Sīmǎ xiānsheng méiyǒu zuì, Fāng Xīn yě
司马先生没有醉，方欣也
méiyǒu zuì, tāmen dōu shì zhùshǒu, tāmen dōu
没有醉，他们都是助手，他们都
yào zhàogu zìjǐ de lǎobǎn. Zhè shì tāmen de
要照顾自己的老板。这是他们的
gōngzuò, tāmen bù néng zuì. Sīmǎ gěi lǎobǎn
工作，他们不能醉。司马给老板
tízhe bāo, bāngzhe lǎobǎn shàngle chē. Shàng chē
提着包，帮着老板上了车。上车
zhīqián, Sīmǎ duì Fāng Xīn yòu shuōle yí biàn:
之前，司马对方欣又说了一遍：
"Gěi wǒ dǎ diànhuà, wǒ qǐng nǐ hē kāfēi."
“给我打电话，我请你喝咖啡。”
Fāng Xīn suíbiàn de diǎndiǎn tóu, tā gǎnjué dào
方欣随便地点点头，她感觉到
tā de lǎobǎn zhànbuwěn le. Fāng Xīn xiǎng fú
她的老板站不稳了。方欣想扶
tā, Lǐ zǒng què bú ràng. Fāng Xīn zhǐhǎo zhàn
她，李总却不让。方欣只好站
zài tā de pángbiān, wànyì lǎobǎn dǎoxià, hǎo
在她的旁边，万一老板倒下，好

bāng tā . Lǐ zǒng xiàng qián zǒule yí bù ,
帮她。李总向前走了一步，
bǎ shǒu shēnjìn chēchuāng , zàicì yǔ Qí zǒng
把手伸进车窗，再次与齐总
wòshǒu . Tā de zhè zhǒng rèqíng ràng Fāng Xīn
握手。她的这种热情让方欣
gǎndào yǒu xiē gāngà . Tā zǒu guòqu , bǎ
感到有些尴尬[1]。她走过去，把
Lǐ zǒng lākāi . Lǐ zǒng tuìdào lùbiān , hái
李总拉开。李总退到路边，还
zài dà shēng de hǎn : " Gěi wǒ dǎ diànhuà a ,
在大声地喊："给我打电话啊，
wǒ de hàomǎ shì 8 5 6 8 1 1 6 8 ! " Chē
我的号码是85681168！[2]"车
kāizǒu zhīhòu , tā hái duìzhe chē hǎn : " Gěi wǒ
开走之后，她还对着车喊："给我
dǎ diànhuà a , wǒ de diànhuà shì 8 5 6 8 1 1 6 8 ! "
打电话啊，我的电话是85681168！"

Jiēshang de rén dōu hěn chījīng de kànzhe tāmen . Fāng Xīn zhīdao lǎobǎn shì zhēn de
街上的人都很吃惊地看着她们。方欣知道老板是真的
zuì le , gǎnmáng fúzhù tā , jiàole yí liàng chūzūchē guòlai . Lǐ zǒng què bú shàng chē ,
醉了，赶忙扶住她，叫了一辆出租车过来。李总却不上车，
tā shuō : " Wǒ bù xiǎng zuò chē , wǒ yào
她说："我不想坐车，我要

1 **尴尬**: embarrassed
e.g. 她不知道怎么回答这个问题，她感到很尴尬。

2 The number 85681168 sounds like a lucky telephone number, as Chinese people consider 6 and 8 to be lucky numbers. The number 6 means smoothness in everything, and number 8 means getting rich.

sànbù . Duōme měihǎo de yèwǎn a, wǒmen
散步。多么美好的夜晚啊，我们
sànbù ba. Wǒmen zài qù zhǎo gè jiǔbā hē
散步吧。我们再去找个酒吧喝
jiǔ. Wǒ hái xiǎng hē, wǒ méishì. Zhè diǎn
酒。我还想喝，我没事。这点
jiǔ suànbuliǎo shénme, nǐ jiàn wǒ shénme shíhou
酒算不了什么，你见我什么时候
zuìguo?" Fāng Xīn méi bànfǎ, zhǐhǎo gēnzhe
醉过？”方欣没办法，只好跟着
tā zǒu. Yí liàng sānlúnchē cóng duìmiàn guòlai
她走。一辆三轮车从对面过来
le, Fāng Xīn mǎshàng yǒule yí gè zhǔyi,
了，方欣马上有了一个主意，
dà shēng shuō: "Lǐ zǒng, wǒ hǎojiǔ méi zuò
大声说：“李总，我好久没坐
sānlúnchē le, wǒmen zuòzuò sānlúnchē ba?
三轮车了，我们坐坐三轮车吧？
Zuò sānlúnchē kàn yèjǐng duō hǎo a."
坐三轮车看夜景多好啊。”

Fāng Xīn hěn jiānnán de bǎ Lǐ
方欣很艰难地把李
zǒng nòngshàng le sānlúnchē. Zuò zài sānlúnchē
总弄上了三轮车。坐在三轮车
shàng, Lǐ zǒng háishi bù tíng de shuōzhe nà
上，李总还是不停地说着那
jǐ jù huà: "Nǐ bié yǐwéi wǒ hēduō le,
几句话：“你别以为我喝多了、
wǒ zuì le, wǒ yìdiǎn yě méi zuì, wǒ hěn
我醉了，我一点也没醉，我很

qīngchu . Nà gè nánrén yǐwéi wǒ hēduō le ,
清楚。那个男人以为我喝多了，
duì wǒ dòngshǒu-dòngjiǎo de . Wǒ hěn qīngchu , wǒ
对我动手动脚[1]的。我很清楚，我
shì jiǎzhuāng bù zhīdao …… " Fāng Xīn mǎshàng
是假装不知道……”方欣马上
xiǎngdàole nà wèi Sīmǎ xiānsheng , gēn lǎobǎn
想到了那位司马先生，跟老板
shuō : " Kěbushì , tāmen hái yǐwéi tāmen néng
说：“可不是，他们还以为他们能
zhàn shénme piányi ne . "
占什么便宜[2]呢。”

Fāng Xīn zhōngyú bǎ lǎobǎn sònghuíle jiā .
方欣终于把老板送回了家。
Lǎobǎn de fángzi hěn dà , hěn piàoliang , hái shì
老板的房子很大，很漂亮，还是
liǎng céng de . Dànshì , Fāng Xīn zhǐshì juéde
两层的。但是，方欣只是觉得
fángzi hěn dà , hěn kōng , hěn lěngqing . Lǐ zǒng
房子很大，很空，很冷清。李总
dǎkāi tā de jiǔguì , náchū yì píng wàiguó
打开她的酒柜，拿出一瓶外国
jiǔ , shuō : " Lái , wǒmen jiēzhe hē , wǒmen
酒，说：“来，我们接着喝，我们
zìjǐ hē , bù gēn tāmen nánrén hē ! "
自己喝，不跟他们男人喝！”

Fāng Xīn gǎnmáng qù ná tā de jiǔpíng ,
方欣赶忙去拿她的酒瓶，
shuō : " Lǐ zǒng , nǐ bù néng zài hē le ! "
说：“李总，你不能再喝了！”

1 **动手动脚**: (usually of man) handsy

2 **占便宜**: gain extra advantage by unfair means. The phrase in this context implies that men want to play with women to make fun.

Lǐ zǒng shuō: "Wǒ méishì, wǒ hái méi
李总说："我没事，我还没
hēhǎo."
喝好。"

Fāng Xīn méi bànfǎ, zhǐhǎo ràng tā dào
方欣没办法，只好让她倒
jiǔ. Fāng Xīn hēle yì xiǎo kǒu, juéde bù
酒。方欣喝了一小口，觉得不
hǎo hē, Lǐ zǒng què yì kǒu hēgān le, shuō:
好喝，李总却一口喝干了，说：
"Xiǎo Fāng, nǐ búyào jiào wǒ Lǐ zǒng, jiào
"小方，你不要叫我李总，叫
wǒ Xuěyí jiě. Wǒ búyào dāng Lǐ zǒng, wǒ
我雪仪姐。我不要当李总，我
bù xǐhuan nǐ jiào wǒ Lǐ zǒng. Wǒ jiào Lǐ
不喜欢你叫我李总。我叫李
Xuěyí, nǐ zhīdao ba?"
雪仪，你知道吧？"

Fāng Xīn shuō: "Wǒ zhīdao, wǒ zhīdao,
方欣说："我知道，我知道，
wǒ hái gēn nánpéngyou shuōguo, nǐ de míngzi
我还跟男朋友说过，你的名字
hǎotīng." Lǐ zǒng shuō: "Nánpéngyou? Bù néng
好听。"李总说："男朋友？不能
yào nánpéngyou, nǐ huì hòuhuǐ de. Rúguǒ
要男朋友，你会后悔的。如果
nánrén xiǎng gēnzhe nǐ, jiùshì xiǎng yào nǐ de
男人想跟着你，就是想要你的
qián, rúguǒ bù xiǎng yào qián, tā jiù bú yào
钱，如果不想要钱，他就不要

nǐ le . Nǐ zhīdao ma ? Wǒ tài liǎojiě nánrén
你了。你知道吗？我太了解男人
le , nǐ hái niánqīng , nǐ bù zhīdao . ”
了，你还年轻，你不知道。”

Lǐ zǒng shuōzhe shuōzhe , yǎnlèi jiù liúle
李总说着说着，眼泪就流了
chūlai . Fāng Xīn yǒu xiē jǐnzhāng , tā cónglái
出来。方欣有些紧张，她从来
méiyǒu jiànguo lǎobǎn de yǎnlèi , jiù xiàng cónglái
没有见过老板的眼泪，就像从来
méiyǒu jiànguo lǎobǎn de xiàoróng . Tā gǎnjǐn bǎ
没有见过老板的笑容。她赶紧把
zhuōzi shàng de zhǐjīn ná guòlai gěi Lǐ zǒng ,
桌子上的纸巾拿过来给李总，
xiǎoxīn de shuō : “ Lǐ zǒng , nǐ méishì ba ? ”
小心地说：“李总，你没事[1]吧？”
Lǐ Xuěyí dèngle yì yǎn , Fāng Xīn yòu gǎnmáng
李雪仪瞪了一眼，方欣又赶忙
shuō : “ Xuěyí jiě , nǐ méishì ba ? ”
说：“雪仪姐，你没事吧？”

Xuěyí jiě shuō : “ Wǒ méishì , méishì ,
雪仪姐说：“我没事，没事，
wǒ néng yǒu shénme shì ? Wǒ shénme nánrén méi
我能有什么事？我什么男人没
jiànguo ? Nàge xìng Qí de nánrén , tā shuō
见过？那个姓齐的男人，他说
tā bù róngyì , tā de kùnnan suàn shénme ? Wǒ
他不容易，他的困难算什么？我
cái bù róngyì ne . Yìbiān yào zhùyì shēngyi
才不容易呢。一边要注意生意

1 没事: nothing serious
e.g. 我身体很好，我没事。

xiànjǐng , yìbiān hái yào zhùyì nánrén . Tā
陷阱[1]，一边还要注意男人。他
yí gè dà nánrén yě shuō zìjǐ bù róngyì ,
一个大男人也说自己不容易，
zhēnshì de ! Tā hái yǐwéi wǒ duì tā gǎn
真是的！他还以为我对他感
xìngqù ne ! ”
兴趣呢！”

Fāng Xīn shuō : “ Kěbushì , nánrén dōu
方欣说：“可不是，男人都
juéde zìjǐ hěn búcuò . Wǒmen gěi tā
觉得自己很不错。我们给他
yìdiǎn yángguāng , tā jiù cànlàn ; gěi tā yìdiǎn
一点阳光，他就灿烂；给他一点
hóngshuǐ , tā jiù fànlàn . ”
洪水，他就泛滥[2]。”

Lǐ Xuěyí xiàole qǐlai . Tā shuō : “ Wǒ
李雪仪笑了起来。她说：“我
xǐhuan nǐ de língyá-lìchǐ . ” Tā yòu kū yòu
喜欢你的伶牙俐齿[3]。”她又哭又
xiào , kàn qǐlai hǎoxiàng shì yí gè háizi .
笑，看起来好像是一个孩子。
Tā kūguo zhīhòu , kàn qǐlai zhēnde xiàng yí
她哭过之后，看起来真的像一
gè sìshí duō suì de nǚrén le , bú xiàng zài
个四十多岁的女人了，不像在
wǎnyàn shàng nàme piàoliang le . Dànshì Fāng
晚宴上那么漂亮了。但是方
Xīn juéde Lǐ zǒng bǐ yǐqián kě'ài duō le .
欣觉得李总比以前可爱多了。

1 **生意陷阱**: business trap
e.g. 现在做生意很难，到处是生意陷阱。

2 Fang Xin ridicules men by saying that if women give men a little sunshine, men will feel dizzy with flattery; if women give men a little flood, men will overflow.

3 **伶牙俐齿**: sharp-tongued; have a ready tongue
e.g. 这个姑娘伶牙俐齿，很厉害。

Lǐ zǒng qīnnì de pāizhe Fāng Xīn de liǎn shuō:
李总亲昵地拍着方欣的脸说：

"Wǒ xǐhuan nǐ de cōngmíng, nénggàn. Dànshì,
"我喜欢你的聪明、能干。但是，

wǒmen nǚrén hěn kělián, méi rén gěi wǒmen
我们女人很可怜[1]，没人给我们

ài. Wǒ dōu líhūn bā nián le, wǒ yí gè rén
爱。我都离婚八年了，我一个人

shēnghuó bā nián le." Fāng Xīn shuō: "Xiàng nǐ
生活八年了。"方欣说："像你

zhèyàng de nǚrén, yídìng yǒu bùshǎo de nánrén
这样的女人，一定有不少的男人

xǐhuan, yídìng shì nǐ tài tiāoti le."
喜欢，一定是你太挑剔[2]了。"

Lǐ Xuěyí shuō: "Bú shì de, bú shì wǒ
李雪仪说："不是的，不是我

tiāoti, shì méiyǒu gòngtóng de xiǎngfa. Nǐ xiǎng,
挑剔，是没有共同的想法。你想，

nàxiē nánrén, tāmen zhǐ xūyào wǒmen de
那些男人，他们只需要我们的

shēntǐ, kě wǒ ne, wǒ hái xiǎng yào jīngshén
身体，可我呢，我还想要精神[3]

shàng de dōngxi ne, duìbuduì?"
上的东西呢，对不对？"

Fāng Xīn gǎndào hěn chījīng, tā yǐwéi Lǐ
方欣感到很吃惊，她以为李

zǒng zhǐ zhīdao gōngzuò, zhèng qián, bù zhīdao
总只知道工作、挣[4]钱，不知道

tā hái yǒu zhèyàng de xiǎngfa.
她还有这样的想法。

1 **可怜**: poor; pitiable
e.g. 这个孩子没人管，真可怜。

2 **挑剔**: be fastidious
e.g. 她买衣服非常挑剔。
e.g. 他吃饭很挑剔。

3 **精神**: spirit; mind
e.g. 现在有些人有钱了，生活好了，可是精神上的东西少了。

4 **挣**: to earn

Fāng Xīn shuō: "Wǒ zhīdao, nǐ jīntiān wǎnshang rúguǒ bú shì kǎolǜ gōngsī hétong, nǐ zǎo jiù zǒu le."
方欣说："我知道，你今天晚上如果不是考虑公司合同[1]，你早就走了。"

Lǐ Xuěyí shuō: "Bù, bú shì de, wǒ bú shì kǎolǜ hétong de shì. Wǒ yuànyi gēn Qí zǒng shuōhuà shì yīnwèi tā tèbié xiàng wǒ de qiánfū. Zhēn de, hěn xiàng. Wǒ de qiánfū kěnéng bǐ tā gāo yìdiǎn. Nà zhēnshì yí gè hěnxīn de nánrén."
李雪仪说："不，不是的，我不是考虑合同的事。我愿意跟齐总说话是因为他特别像我的前夫[2]。真的，很像。我的前夫可能比他高一点。那真是一个狠心[3]的男人。"

Lǐ Xuěyí yíxiàzi pādào zhuōzi shàng kū qǐlai le, kū de xiàng gè háizi.
李雪仪一下子趴到桌子上哭起来了，哭得像个孩子。

Fāng Xīn hěn jǐnzhāng, bù zhīdao gāi zěnme bàn, tā cónglái méi yùjianguo zhèyàng de shì. Tā xiàng duì xiǎoháizi yíyàng gēn Lǐ zǒng shuō: "Bié kū, bié kū."
方欣很紧张，不知道该怎么办，她从来没遇见过这样的事。她像对小孩子一样跟李总说："别哭，别哭。"

1 **合同**: contract
e.g. 今天我跟公司签了一个合同。
2 **前夫**: former husband
3 **狠心**: heartless

Lǐ zǒng bǎ tā de jīnglì dōu shuōle chūlai. Fāng Xīn mànmàn de tīngzhe.
李总把她的经历都说了出来。方欣慢慢地听着。

Zhè gè nǚrén de hūnyīn shì nàme búxìng! Zhè gè kàn shàngqu lěngmò, měilì de nǚrén, duì tā de qiánfū tèbié hǎo. Tā tīngshuō zhàngfu zài wàimian yǒule qíngrén. Tā hěn tòngkǔ, dànshì méiyǒu tíchū líhūn. Tā shuō: "Wǒ shízài tài ài tā le, méi bànfǎ. Wǒ yuè ài tā, tā yuè bù xǐhuan wǒ; tā yuè bù xǐhuan wǒ, wǒ jiù yuè ài tā."
这个女人的婚姻[1]是那么不幸！这个看上去冷漠、美丽的女人，对她的前夫特别好。她听说丈夫在外面有了情人[2]。她很痛苦，但是没有提出离婚。她说："我实在太爱他了，没办法。我越爱他，他越不喜欢我；他越不喜欢我，我就越爱他。"

Hòulái, tā de qíngrén zhǎodào tā jiā lái, ràng Lǐ Xuěyí líhūn, bǎ zhàngfu rànggěi tā. Lǐ Xuěyí méiyǒu bànfǎ, zhǐhǎo gēn zhàngfu shuōle zhè jiàn shì. Zhàngfu duì tā shuō, bú huì hé tā líhūn. Tāmen de érzi gānggāng wǔ suì, tā
后来，他的情人找到她家来，让李雪仪离婚，把丈夫让给她。李雪仪没有办法，只好跟丈夫说了这件事。丈夫对她说，不会和她离婚。他们的儿子刚刚五岁，她

1 婚姻: marriage
e.g. 她的婚姻很幸福。
2 情人: lover

yòu rěn le , méiyǒu líhūn . Kěshì méi xiǎngdào ,
又忍了，没有离婚。可是没想到，
tā zhàngfu háishi hé nà gè nǚrén zài yìqǐ .
她丈夫还是和那个女人在一起。
Nàshí tā hái hé zhàngfu zài yí gè dānwèi
那时她还和丈夫在一个单位
gōngzuò . Měi tiān shàngbān dōu yǒu rén zài shuō tā ,
工作。每天上班都有人在说她，
tā zài yě bù néng rěn le , jiù juédìng líhūn ,
她再也不能忍了，就决定离婚，
cízhí . Yīnwèi tā méiyǒu gōngzuò , érzi bù
辞职[1]。因为她没有工作，儿子不
néng gēn tā shēnghuó . Hěnxīn de qiánfū bú ràng
能跟她生活。狠心的前夫不让
tā jiàn érzi . Zài érzi shēngri de nà tiān ,
她见儿子。在儿子生日的那天，
tā mǎile xīn yīfu hé dàngāo sòngqù . Tā gāng
她买了新衣服和蛋糕送去。她刚
xià lóu , qiánfū jiù bǎ tā sòng de dōngxi cóng
下楼，前夫就把她送的东西从
chuānghu li rēngle chūlai . Tā zhàn zài lóuxià ,
窗户里扔了出来。她站在楼下，
tīngzhe érzi dà shēng de kū , tā zhēn de xiǎng
听着儿子大声地哭，她真的想
qù sǐ . Nàshí tā tài xiǎng érzi le , tā
去死。那时她太想儿子了，她
dàochù zhǎo érzi . Yǒu yì tiān , tā zài jiēshang ,
到处找儿子。有一天，她在街上，
kànjian érzi zuò zài yí liàng zìxíngchē hòumian ,
看见儿子坐在一辆自行车后面，

1 **辞职**: quit a job
e.g. 在这个公司她挣钱很少，所以她辞职了。

jiù qù zhuī. Zhuīguò yì tiáo jiē, tā fāxiàn
就去追。追过一条街，她发现
kàncuò le, jiéguǒ tā bèi qìchē zhuàngshāng le.
看错了，结果她被汽车撞伤了。
Zài yīyuàn li, tā zhōngyú xiǎng qīngchu le, xiàng
在医院里，她终于想清楚了，像
tā zhèyàng, tā shì bú huì dédào érzi de,
她这样，她是不会得到儿子的，
tā bìxū xiān ràng zìjǐ shēnghuó de hǎo. Tā
她必须先让自己生活得好。她
kāishǐ nǔlì gōngzuò, zhèng qián.
开始努力工作，挣钱。

Lǐ Xuěyí shuō: "Wǒ wèi shénme nǔlì
李雪仪说："我为什么努力
zhèng qián? Wǒ shì wèile wǒ érzi a!"
挣钱？我是为了我儿子啊！"

Lǐ zǒng yìbiān shuō yìbiān kū, Fāng Xīn
李总一边说一边哭，方欣
yě gēnzhe liú yǎnlèi le. Fāng Xīn shuō:
也跟着流眼泪了。方欣说：
"Xuěyí jiě, wǒ zhēn méi xiǎngdào nǐ zhème
"雪仪姐，我真没想到你这么
kǔ, nǐ tài bù róngyì le. Wǒ yǒu gè
苦，你太不容易了。我有个
péngyou shì lǜshī, wǒ qù bāng nǐ wènwèn,
朋友是律师，我去帮你问问，
nǐ zhè zhǒng qíngkuàng zěnme bàn."
你这种情况怎么办。"

Lǐ Xuěyí cāle yíxià yǎnlèi, shuō:
李雪仪擦了一下眼泪，说：

" Kěshì xiànzài wǒ érzi zhǎngdàle a . Wǒ
"可是现在我儿子长大了啊。我
hòulái jiàndào tā , tā hǎoxiàng bú rènshi wǒ
后来见到他，他好像不认识我
shìde . Wǒ shuō sòng tā chūguó shàng dàxué ,
似的。我说送他出国上大学，
tā hěn lěngmò de shuō , suíbiàn . Wǒ …… wǒ
他很冷漠地说，随便。我……我
zài yě zhǎobuhuí yǐqián nà gè érzi le . "
再也找不回以前那个儿子了。"

Lǐ Xuěyí zhōngyú kūlèi le . Tā pǎojìn
李雪仪终于哭累了。她跑进
wèishēngjiān , tùle qǐlai , tù de dàochù dōu
卫生间，吐了起来，吐得到处都
shì . Tùguo zhīhòu , Fāng Xīn bǎ tā fúdào
是。吐过之后，方欣把她扶到
chuáng shàng . Tā yì tǎngxià , jiù shuìzháo le ,
床上。她一躺下，就睡着了，
xiàng yí gè shēngbìng de háizi yíyàng kělián .
像一个生病的孩子一样可怜。
Kètīng de dìshang hé wèishēngjiān dōu hěn zāng ,
客厅的地上和卫生间都很脏，
Fāng Xīn zhǐhǎo rěnzhe bǎ kètīng hé wèishēngjiān
方欣只好忍着把客厅和卫生间
dǎsǎo gānjìng le . Tā yí kàn biǎo , yǐjīng shì
打扫干净了。她一看表，已经是
yèli yī diǎnzhōng le . Dànshì Fāng Xīn háishi
夜里一点钟了。但是方欣还是
bù gǎn zǒu , shuí zhīdao Lǐ zǒng yèli hái
不敢走，谁知道李总夜里还

huì fāshēng shénme shì . Tā zuò zài kètīng de
会发生什么事。她坐在客厅的
shāfā shàng , yě bù zhīdao shénme shíhou jiù
沙发上，也不知道什么时候就
shuìzháo le .
睡着了。

Dì-èr tiān zǎoshang Fāng Xīn xǐnglái , fāxiàn
第二天早上方欣醒来，发现
zìjǐ shēnshang gàizhe tǎnzi . Tā gǎnmáng dào
自己身上盖着毯子。她赶忙到
wòshì yí kàn , Lǐ zǒng yǐ bú zài fángjiān li
卧室一看，李总已不在房间里
le . Zhuōshang liúle zhāng tiáozi , tiáozi shàng
了。桌上留了张条子，条子上
xiězhe : " Chúfáng yǒu zǎodiǎn , zǒu de shíhou bǎ
写着："厨房有早点，走的时候把
mén guānhǎo . Lǐ . "
门关好。李。"

Fāng Xīn zǒudào jiēshang , jiàole
方欣走到街上，叫了
yí liàng chūzūchē . Zhè shì yí gè qíngtiān ,
一辆出租车。这是一个晴天，
shù dōu kāishǐ biànlǜ le , dìshang hěn shī ,
树都开始变绿了，地上很湿，
zuótiān yèli xià yǔ le . Fāng Xīn qīngchu de
昨天夜里下雨了。方欣清楚地
xiǎngqǐle zuótiān wǎnshang de shìqing , tā yǒu
想起了昨天晚上的事情，她有
yìdiǎn xīngfèn . Tā de lǎobǎn bǎ zìjǐ de
一点兴奋。她的老板把自己的

xīnshi gàosule tā, hái ràng tā jiào tā
心事[1]告诉了她，还让她叫她
Xuěyí jiě. Jīntiān zǎoshang tā qǐlái hòu,
雪仪姐。今天早上她起来后，
yídìng zhīdao shì Fāng Xīn zhàogule tā yí
一定知道是方欣照顾了她一
yè. Yǐhòu zài gōngsī de rìzi hǎoguò le,
夜。以后在公司的日子好过了，
érqiě tā kěyǐ bǎ xīnshi shuō chūlai, Lǐ
而且她可以把心事说出来，李
zǒng yídìng huì gěi tā miànzi de.
总一定会给她面子的。

Fāng Xīn náchū shǒujī, gěi Ā Míng dǎ
方欣拿出手机，给阿明打
diànhuà. Ā Míng wèn: "Zuówǎn nǐ pǎodào nǎ
电话。阿明问："昨晚你跑到哪
qù le? Wǒ yī diǎnzhōng gěi nǐ dǎ diànhuà,
去了？我一点钟给你打电话，
nǐ hái méi huí jiā." Fāng Xīn shuō: "Wǒ de
你还没回家。"方欣说："我的
lǎobǎn hēzuì le, wǒ zhàogule tā yí yè.
老板喝醉了，我照顾了她一夜。
Nǐ bù gāoxìng la?" Ā Míng shuō: "Wǒ méi
你不高兴啦？"阿明说："我没
shénme, jiùshì wèi nǐ dānxīn ma, pà nǐ
什么，就是为你担心[2]嘛，怕你
hé lǎobǎn fāshēng bù yúkuài de shì." Fāng Xīn
和老板发生不愉快的事。"方欣
shuō: "Nǐ fàngxīn, zuówǎn lǎobǎn duì wǒ hěn
说："你放心，昨晚老板对我很

1 **心事**: worry; a load on one's mind
e.g. 她的心事很重，她不愿意把心事告诉别人。

2 **担心**: be anxious about; worry about
e.g. 不用担心，我自己会把工作做完的。

mǎnyì . Děng yíhuìr shàngbān, wǒ jiù gēn
满意。等一会儿上班，我就跟
tā shuō qǐngjià de shì." Ā Míng gāoxìng le,
她说请假的事。”阿明高兴了，
shuō: "Duì, nǐ gǎnkuài shuō, zài bù shuō, jiù
说：“对，你赶快说，再不说，就
wǎn le."
晚了。”

Ā Míng cānjiāle diànshìtái de jìngsài,
阿明参加了电视台的竞赛[1]，
déle jiǎng, tāmen liǎng gè rén kěyǐ qù
得了奖[2]，他们两个人可以去
lǚyóu qī tiān. Rúguǒ Fāng Xīn zài bù qǐngjià,
旅游七天。如果方欣再不请假，
Ā Míng jiù zhǐ néng zhǎo tā de péngyou qù
阿明就只能找他的朋友去
le. Fāng Xīn shì fēicháng xiǎng qù de.
了。方欣是非常想去的。

Fāng Xīn dàole gōngsī, yìbiān xiàng
方欣到了公司，一边向
tóngshìmen wènhǎo, kāi wánxiào, yìbiān xiǎng
同事们问好、开玩笑，一边想
zěnme qù jiàn Lǐ zǒng. Tā zhèng xiǎngzhe, Lǐ
怎么去见李总。她正想着，李
zǒng jiù jiào tā le. Tā zǒujìn Lǐ zǒng de
总就叫她了。她走进李总的
bàngōngshì. Lǐ zǒng zuò zài nàr, hé yǐqián
办公室。李总坐在那儿，和以前
yíyàng. Tā de yǎnlèi hé jiǔqì dōu xiàng yì
一样。她的眼泪和酒气都像一

1 **竞赛**: contest
e.g. 她很喜欢参加各种竞赛。
2 **得奖**: win a prize
e.g. 他参加了唱歌比赛，但是他没得奖。

cháng chūnyǔ yíyàng, bú jiàn le. Tā kànjian
场春雨一样，不见了。她看见
Fāng Xīn jìnlai, bù gāoxìng de shuō: "Nǐ
方欣进来，不高兴地说："你
zěnme yě bù shōushi jiù lái shàngbān le?
怎么也不收拾[1]就来上班了？
Zánmen shì gè dà gōngsī, yào zhùyì zìjǐ de
咱们是个大公司，要注意自己的
xíngxiàng." Fāng Xīn xiǎng shuō: "Wǒ bú shì
形象。"方欣想说："我不是
yīnwèi nǐ cái méiyǒu shíjiān shōushi ma?" Tā
因为你才没有时间收拾吗？"她
kànjian Lǐ zǒng de mìshū zài pángbiān, jiù méi
看见李总的秘书在旁边，就没
shuōhuà, zhǐshì diǎndiǎn tóu. Mìshū gěi tā
说话，只是点点头。秘书给她
dàole yì bēi shuǐ, jiù chūqu le. Lǐ zǒng
倒了一杯水，就出去了。李总
tóu yě méi tái, shuō: "Zuò ba."
头也没抬，说："坐吧。"

Fāng Xīn zhè cái bù jǐnzhāng le, zuò
方欣这才不紧张了，坐
xiàlai, hēle kǒu shuǐ, shuō: "Xuěyí jiě,
下来，喝了口水，说："雪仪姐，
nǐ hǎoxiēle ma?"
你好些了吗？"

Lǐ zǒng hěn chījīng, shuō: "Nǐ jiào
李总很吃惊，说："你叫
wǒ shénme?" Fāng Xīn yě hěn chījīng. Tā
我什么？"方欣也很吃惊。她

1 **收拾**: tidy up; make one neat and orderly in appearance
e.g. 她把房间收拾好了。
e.g. 她起床以后，吃完早饭，收拾了一下就上班去了。

xiǎng, shì tā wàngle zuówǎn de shìqing, háishi
想，是她忘了昨晚的事情，还是
jiǎzhuāng wàng le? Fāng Xīn mǎshàng gǎikǒu shuō:
假装忘了？方欣马上改口说：
"Lǐ zǒng, nǐ zhǎo wǒ?"
"李总，你找我？"

Lǐ zǒng shuō: "Nǐ mǎshàng bǎ zuówǎn
李总说："你马上把昨晚
tán de hétong xiěhǎo, chuánzhēn gěi kèhù
谈的合同写好，传真[1]给客户
kàn yíxià. Yào kuàidiǎn, jīntiān jiù bǎ hétong
看一下。要快点，今天就把合同
xiěhǎo."
写好。"

Fāng Xīn diǎntóu, zhàn zài nàr, shuōbuchū
方欣点头，站在那儿，说不出
huà lái.
话来。

Lǐ zǒng jiàn tā zhànzhe bú dòng, shuō:
李总见她站着不动，说：
"Nǐ hái yǒu shénme wèntí ma?"
"你还有什么问题吗？"

Fāng Xīn shuō: "Lǐ zǒng, wǒ xiǎng qǐng
方欣说："李总，我想请
yí gè xīngqī de jià. Wǒ nánpéngyou ràng wǒ
一个星期的假。我男朋友让我
hé tā yìqǐ qù lǚyóu."
和他一起去旅游。"

Lǐ zǒng shuō: "Nǐ zěnme cái láile jǐ
李总说："你怎么才来了几

1 **传真**: fax
e.g. 我收到了一个传真。
e.g. 请你把传真给公司发过去。

gè yuè jiù xiǎng chūqu wánr le ? Wǒ hái gēn
个月就想出去玩儿了？我还跟
biéren shuō, nǐ shì shuòshì! Wǒ kànzhòng
别人说，你是硕士！我看重[1]
nǐ yǒu shénme yòng, nǐ děi zìjǐ kànzhòng
你有什么用，你得自己看重
nǐ zìjǐ. Nǐ méi kànjian xiànzài gōngsī shì
你自己。你没看见现在公司是
zuì máng de shíhou ma? Tángjiǔhuì mǎshàng jiù
最忙的时候吗？糖酒会马上就
yào kāishǐ le, wǒmen de shìqing hěn duō,
要开始了，我们的事情很多，
nǐ hái xiǎng qù lǚyóu, nǐ hái zhēn xiǎng de
你还想去旅游，你还真想得
chūlai!"
出来！”

Fāng Xīn zhàn qǐlai wǎng wài zǒu. Tā
方欣站起来往外走。她
hěn qíguài, zhè cì tā méiyǒu xiǎngdào cízhí.
很奇怪，这次她没有想到辞职。
Gāng zǒudào ménkǒu, Lǐ zǒng hǎn tā: "Xiǎo
刚走到门口，李总喊她：“小
Fāng, nǐ děng yíxià."
方，你等一下。”

Lǐ zǒng zǒu guòlai, dìgěi tā yí gè
李总走过来，递给她一个
xìnfēng, shuō: "Zhè duàn shíjiān nǐ hěn lèi,
信封，说：“这段时间你很累，
zhè shì gěi nǐ de jiǎngjīn."
这是给你的奖金[2]。”

1 **看重**: think highly of; to value
e.g. 她很看重这份工作，所以她工作很努力。

2 **奖金**: bonus
e.g. 他工作很努力，所以他的奖金也很高。

Fāng Xīn jiēguò xìnfēng, hái tǐng hòu de.
方欣接过信封，还挺厚的。

Tā dāidāi de shuō: "Xièxie, Lǐ zǒng."
她呆呆地说："谢谢，李总。"

Fāng Xīn zǒuchū Lǐ zǒng de bàngōngshì, shēnshēn hūchū yì kǒu qì. Kàndào chuāngwài de lǜshù, tā gǎndào chūntiān shì zuì měilì de jìjié.
方欣走出李总的办公室，深深呼出一口气。看到窗外的绿树，她感到春天是最美丽的季节。

This story is an abridged version of Qiu Shanshan's short story *A Spring Evening*, which was published on *Fiction Monthly* (小说月报), No.11, 2003.

## About the author Qiu Shanshan (裘山山):

Qiu Shanshan is one of the noteworthy contemporary writers in China and was born in 1958 in Hangzhou. She joined the Army in 1976 and graduated from the Chinese Department of Sichuan Normal University in 1983. She is now a writer of the literary writing office of the Chengdu Military Area Command. She is a also member of the China Writers' Association and vice chairman of the Sichuan Writers' Association. In 1984, she began to publish her works. She is a prolific writer and her works total about three million characters. She has published the novels 我在天堂等你，到处都是寂寞的心; the collections of short stories: 裘山山小说精选，白罂粟; collections of novellas, collections of essays, biographical literature and some film and television plays. Her works won the Sichuan Literature Prize (四川文学奖), Short Story Prize of China Writers, Literature Prizes of Kunlun (昆仑) and Dangdai (当代) and the Novel Prize of Sichuan Literature (四川文学). Her short stories 幸福像花开放，保卫樱桃，我讲的最后一个故事 won the eighth, ninth and tenth Baihua Prizes of *Fiction Monthly* (小说月报). Some of her works are translated into English, Japanese and Korean.

## 思考题：

1. 方欣的性格怎么样？
2. 李总为什么只让方欣跟她一起请男客户吃饭、谈生意？
3. 你觉得故事中的晚宴有趣吗？为什么？
4. 方欣的语言很有趣，你能找出几个例子吗？
5. 李总拼命挣钱，她就会在生活中找到幸福吗？
6. 你觉得方欣在晚宴之前和晚宴之后有什么不同？
7. 你觉得白领女性应该怎样对待现实生活？

Sì , Zǎo'ān , Běijīng
# 四、早安，北京

Yuánzhù: Xú Kūn
原著：徐坤

# 四、早安，北京

## Guide to reading:

Beijing, the capital of China, is the home of many historic sites and famous universities. Many people hope to study, work, live and travel in Beijing. The story *Good Morning, Beijing* describes changes in the lives and minds of people in the past 20 years. The protagonist Zeyuan enters Peking University from the northeast part of China. After graduation, he is assigned to a governmental department in Beijing. Having lived in Beijing for more than 20 years, he now lives a white-collar life. This success is tempered by a feeling that something is lacking in his life. Zeyuan's second uncle is a typical Chinese farmer. He lives in the countryside in the northeast part of China. Having become wealthy, he can afford to bring his family to vacation in Beijing. The characters in the story are very common in real life. The second uncle's family speaks a northeastern dialect which is considered humorous by those outside that area of the country. While Zeyuan guides his relatives to visit sites in Beijing, he cannot help recalling his own past. The story also reflects many differences between cities and the countryside, as well as different life styles of city dwellers and countrymen.

## 故事正文：

Zéyuán shì Dōngběirén . Èrshí duō nián
泽原是东北人。二十多年

yǐqián , tā de xuéxí chéngjì fēicháng hǎo .
以前，他的学习成绩非常好。

Gāozhōng bìyè de shíhou tā kǎole Běijīng
高中毕业的时候他考了北京

Dàxué . Dàxué bìyè yǐhòu , tā liú zài
大学。大学毕业以后，他留在

Běijīng guójiā jīguān gōngzuò . Xiànzài tā shì yí
北京国家机关工作。现在他是一

gè chùzhǎng , guòshàngle báilǐng shēnghuó . Tā
个处长[1]，过上了白领生活。他

yǒule dà fángzi , yǒule qìchē , hái yǒu yí
有了大房子，有了汽车，还有一

gè niánqīng piàoliang de qīzi .
个年轻漂亮的妻子。

Zéyuán de mǔqin zhù zài Dōngběi de
泽原的母亲[2]住在东北的

Chángchūn Shì . Yì tiān tā mǔqin gěi tā dǎ
长春市[3]。一天他母亲给他打

diànhuà , gàosu tā , Dōngběi nóngcūn de èrjiù
电话，告诉他，东北农村的二舅[4]

yì jiā yào lái Běijīng lǚyóu , ràng tā jiēdài
一家要来北京旅游，让他接待[5]

yíxià . Zhè gè èrjiù shì Zéyuán mǔqin
一下。这个二舅是泽原母亲

de dì-èr gè gēge , Zéyuán jiào tā èrjiù .
的第二个哥哥，泽原叫他二舅。

1 **处长**: section chief
2 **母亲**: mother
3 **长春市**: the capital city of Jilin Province in the northeast of China
4 **二舅**: mother's second brother; second uncle
5 **接待**: receive (guests or visitors)
e.g. 今天公司老板让我接待客户，我得准备准备。

Xiànzài nóngcūn de shēnghuó bǐ yǐqián hǎo le,
现在农村的生活比以前好了，
èrjiù yì jiā yě yǒu qián le. Èrjiù de
二舅一家也有钱了。二舅的
sūnzi jiào Lín Yàozōng, xiànzài shàng gāozhōng,
孙子叫林耀宗，现在上高中，
xuéxí chéngjì hěn hǎo. Lǎoshī shuō tā kěyǐ
学习成绩很好。老师说他可以
kǎoshàng Zhōngguó zuì hǎo de dàxué, èrjiù
考上中国最好的大学，二舅
fēicháng gāoxìng. Èrjiù tīngshuō Běijīng Dàxué shì
非常高兴。二舅听说北京大学是
zuì hǎo de dàxué, tā jiù dàizhe jiùmā hé
最好的大学，他就带着舅妈[1]和
sūnzi yìqǐ lái Běijīng lǚyóu, kànkan Běijīng
孙子[2]一起来北京旅游，看看北京
Dàxué shénmeyàng.
大学什么样。

Zéyuán jiēdào mǔqin de diànhuà, suīrán
泽原接到母亲的电话，虽然
tā bù xiǎng jiēdài, dànshì tā yòu bù néng
他不想接待，但是他又不能
jùjué, tā zhǐyǒu tóngyì le. Zéyuán bú huì
拒绝[3]，他只有同意了。泽原不会
shuō "bù", zhè shì tā de xìnggé. Yīncǐ,
说"不"，这是他的性格。因此，
tā chángcháng zuò yìxiē tā bù xǐhuan zuò de
他常常做一些他不喜欢做的
shìqing. Tā de zhè zhǒng xìnggé chángcháng gěi
事情。他的这种性格常常给

1 **舅妈**: wife of mother's brother; aunt
2 **孙子**: grandson
3 **拒绝**: to refuse
e.g. 她的朋友给她介绍了一个男朋友，她拒绝了。

tā dàilái hěn duō máfan .
他带来很多麻烦。

Zhè gè zhōumò , èrjiù yì jiā jiù yào lái Běijīng le , mǔqin ràng tā qù huǒchēzhàn jiē tāmen . Tā xīnli zhēn shì bù gāoxìng . Tā měi tiān cóng shàngwǔ jiǔ diǎn dào xiàwǔ wǔ diǎn dōu zài bàngōngshì gōngzuò , měi tiān yǒu xǔduō shìqing yào zuò . Tā de gōngzuò dānwèi lí jiā hěn yuǎn , kāichē yào yí gè bàn xiǎoshí . Tā měi tiān dōu hěn lèi , měi gè zhōumò tā dōu yào hǎohāo shuì yí jiào . Suīrán tā zhù de fángzi hěn dà , hěn kuān , yǒu yìbǎi bāshí duō píngfāngmǐ , dànshì tā yǐjīng xíguànle fūqī èr rén de shēnghuó . Jiāli tūrán láile kèren , tā jiù juéde hěn bù fāngbiàn .
这个周末，二舅一家就要来北京了，母亲让他去火车站接他们。他心里真是不高兴。他每天从上午九点到下午五点都在办公室工作，每天有许多事情要做。他的工作单位[1]离家很远，开车要一个半小时。他每天都很累，每个周末他都要好好睡一觉。虽然他住的房子很大、很宽，有一百八十多平方米，但是他已经习惯了夫妻二人的生活。家里突然来了客人，他就觉得很不方便。

Lìngwài , tā yě bú rènshi zhè gè èrjiù .
另外，他也不认识这个二舅。

1 **工作单位**: work-place
e.g. 我的工作单位是北京电视台。

Tā mǔqin dānxīn tā bù huānyíng èrjiù, yòu
他母亲担心[1]他不欢迎二舅，又
gěi tā dǎ diànhuà, gēn tā shuō, zhè gè èrjiù
给他打电话，跟他说，这个二舅
wèile bāngzhù tā mǔqin shàngxué, zìjǐ zhǐ
为了帮助他母亲上学，自己只
shàngle liǎng nián de xué, jiù huí jiā zhèng qián
上了两年的学，就回家挣钱
le. Rúguǒ méiyǒu èrjiù de bāngzhù, tā
了。如果没有二舅的帮助，他
mǔqin jiù bù néng cóng xiǎoxué dúdào dàxué,
母亲就不能从小学读到大学，
yě bù kěnéng yǒu xiànzài de shēnghuó.
也不可能有现在的生活。

Zéyuán dǒng le, mǔqin ràng tā
泽原懂了，母亲让他
jiēdài èrjiù, jiùshì yīnwèi mǔqin xiǎng gǎnxiè
接待二舅，就是因为母亲想感谢
èrjiù. Zài Zéyuán hěn xiǎo de shíhou, mǔqin
二舅。在泽原很小的时候，母亲
hěn shǎo shuō nóngcūn qīnqi de shì. Mǔqin
很少说农村亲戚[2]的事。母亲
jiéhūn yǐhòu, gēn nóngcūn de qīnqi láiwang hěn
结婚以后，跟农村的亲戚来往很
shǎo. Mǔqin tuìxiū yǐhòu, cái kāishǐ hé
少。母亲退休[3]以后，才开始和
nóngcūn de qīnqimen láiwǎng, kěshì, Zéyuán
农村的亲戚们来往，可是，泽原
yǐjīng líkāi jiā lái Běijīng le. Yīncǐ, tā
已经离开家来北京了。因此，他

1 **担心**: worry about
e.g. 母亲的身体不好，我很担心。

2 **亲戚**: relative
e.g. 他的亲戚很多，过年的时候，他们家很热闹。

3 **退休**: to retire
e.g. 父母退休以后经常锻炼身体，他们生活得很愉快。

duì mǔqin de qīnqi liǎojiě de bù duō . Zhè gè
对母亲的亲戚了解得不多。这个
èrjiù , Zéyuán jiù méi jiànguo miàn .
二舅，泽原就没见过面。

Wèile jiēdài èrjiù yìjiā , Zéyuán zài
为了接待二舅一家，泽原在
xīngqīliù zǎoshang wǔ diǎnzhōng jiù kāichē qù
星期六早上五点钟就开车去
huǒchēzhàn le . Yílù shàng tā hěn kùn . Tā
火车站了。一路上他很困[1]。他
yǐjīng hěn duō nián méiyǒu dào huǒchēzhàn jiē rén
已经很多年没有到火车站接人
le , méiyǒu kàndào Běijīng zhème zǎo de tàiyáng
了，没有看到北京这么早的太阳
le . Cái zǎoshang liù diǎn bàn , tàiyáng jiù yǐjīng
了。才早上六点半，太阳就已经
xiàng yí gè dà huǒqiú guà zài tiānbiān , zhào
像一个大火球挂在天边，照
de rén zhēngbukāi yǎnjing . Zài huǒchēzhàn , yì
得人睁不开眼睛[2]。在火车站，一
qúnqún de lǚkè xiàle huǒchē , cháo chūzhànkǒu
群群的旅客下了火车，朝出站口
zǒu guòlai . hěn duō rén dōu shì fàng shǔjià
走过来。很多人都是放暑假
lái Běijīng lǚyóu de . Tāmen shì zuò yèchē
来北京旅游的。他们是坐夜车
lái de , chēzhàn chōngmǎnle nán wén de qìwèi .
来的，车站充满了难闻的气味。
Chūzhànkǒu hěn yōngjǐ , rénmen yí gè gè de
出站口很拥挤[3]，人们一个个地

1 **困**: sleepy
e.g. 昨天夜里她工作到很晚，今天上午她感到很困。

2 **睁不开眼睛**: The sun is too dazzling, it is hard to open one's eyes.

3 **拥挤**: crowded
e.g. 今天这家商店打折，商店里人很多，很拥挤。

cóng hěn xiǎo de kǒuzi li jǐ chūlai .
从很小的口子里挤出来。

Zéyuán zhàn zài chūzhànkǒu wàimian ,
泽原站在出站口外面，
yǒushíhou kànkan rénqún , yǒushíhou kànkan huǒchē
有时候看看人群，有时候看看火车
jìn zhàn de páizi . Èrshí jǐ nián guòqu le ,
进站的牌子。二十几年过去了，
huǒchēzhàn hǎoxiàng méiyǒu duō dà gǎibiàn . Zéyuán
火车站好像没有多大改变。泽原
xiǎngdào tā gāng lái Běijīng de shíhou , tā hé
想到他刚来北京的时候，他和
zhèxiē lǚkè yíyàng , xīngfèn de zuòzhe huǒchē
这些旅客一样，兴奋地坐着火车
láidào Běijīng . Tā zǒudào huǒchēzhàn guǎngchǎng
来到北京。他走到火车站广场
shàng , zǒudào huānyíng xīn dàxuéshēng de páizi
上，走到欢迎新大学生的牌子
xiàmian .
下面。

Huǒchēzhàn zhèli chōngmǎnle jīqíng , dàn
火车站这里充满了激情[1]，但
zhèli yě zǒngshì hěn luàn , hěn yōngjǐ . Zéyuán
这里也总是很乱、很拥挤。泽原
zhànle yíhuìr , jiù juéde tóu yùn . Tūrán
站了一会儿，就觉得头晕[2]。突然
tā tīngdào guǎngbō li tōngzhī , èrjiù yì jiā
他听到广播里通知，二舅一家
zuò de huǒchē yǐjīng dào le . Zéyuán gǎnmáng
坐的火车已经到了。泽原赶忙

1 激情: enthusiasm; passion
e.g. 年轻人对生活充满了激情。
2 头晕: dizzy
e.g. 今天她身体不太舒服，有点头晕，就没有去上班。

xiàng rénqún zhōng zǒu qù, jǔqǐ shǒuli de
向人群中走去，举起手里的

páizi. Tā kànzhe zǒu chūlai de rén, yìdiǎn
牌子。他看着走出来的人，一点

yě bù gǎndào xīngfèn.
也不感到兴奋。

Chūzhàn de rén kuài yào zǒuwán le, Zéyuán
出站的人快要走完了，泽原

yìzhí děng zài nàli. Tiānqì tài rè le,
一直等在那里。天气太热了，

tā bù tíng de chū hàn, tā de chènshān yě
他不停地出汗[1]，他的衬衫也

shī le. Zhè shí tā kàndào jǐ gè rén zài tā
湿了。这时他看到几个人在他

pángbiān zǒu lái zǒu qù. Yí gè lǎorén zhōngyú
旁边走来走去。一个老人终于

zǒudào tā miànqián, kànzhe tā de liǎn, shuō:
走到他面前，看着他的脸，说：

"Nǐ shì Lǎo Gǒng jiā de Gǒng Zéyuán ba?
"你是老巩家的巩泽原[2]吧？

Bié jǔ páizi le, yí kàn nǐ de liǎn, jiù
别举牌子了，一看你的脸，就

shì zánmen jiā de rén. Nǐ de liǎn gēn nǐ mā
是咱们家的人。你的脸跟你妈

de liǎn yíyàng."
的脸一样。"

Zéyuán yíxià dāizhù le. Tā bǎ páizi
泽原一下呆[3]住了。他把牌子

fàng xiàlai, kànzhe zhè gè lǎorén. Zhè gè
放下来，看着这个老人。这个

1 出汗: to perspire; to sweat
e.g. 今天真热，我一直在不停地出汗。

2 巩 is the surname. 泽原 is the first name.

3 呆: dumbstruck
e.g. 他站在那儿，一动不动地发呆。

lǎorén pífū hěn hēi, liǎnshang zhòuwén hěn
老人皮肤很黑，脸上皱纹[1]很
duō. Tā chuānle yí jiàn bèixīn, yì shuāng hěn
多。他穿了一件背心[2]，一双很
jiù de sùliào liángxié, lǐbian de jiǎo yòu zāng
旧的塑料凉鞋[3]，里边的脚又脏
yòu hēi. Lǎorén xiàozhe, lùchūle zuǐli de
又黑。老人笑着，露出了嘴里的
huángyá.
黄牙。

Zéyuán shuōdào: "Nín shì …… nín shì ……
泽原说道："您是……您是……
èrjiù."
二舅。"

Èrjiù shuō: "Yōhē, zìjǐ jiā de jiùjiu,
二舅说："哟嗬，自己家的舅舅，
hái néng yǒu jiǎ"
还能有假！"

Lǎorén tīngdào Zéyuán jiào tā èrjiù, cái
老人听到泽原叫他二舅，才
kāishǐ lùchūle xiàoróng.
开始露出了笑容。

Zéyuán xīnli xiǎng, mǔqin de gēge
泽原心里想，母亲的哥哥
zěnme huì shì zhè gè yàngzi, xiàng yí gè jìnchéng
怎么会是这个样子，像一个进城
dǎgōng de rén.
打工的人。

Zài kàn lǎotóu de shēnhòu, gēnzhe yí gè
再看老头的身后，跟着一个

1 **皱纹**: wrinkle
e.g. 母亲老了，脸上的皱纹越来越多了。
2 **背心**: vest
e.g. 夏天太热，人们都穿背心。
3 **塑料凉鞋**: plastic sandals
e.g. 下午我们去海边，你最好穿塑料凉鞋。

niánlǎo de fùnǚ , gèzi hěn gāo , hěn shòu ,
年老的妇女[1]，个子很高，很瘦，
tóufa huābái , chuān yí jiàn lánsè dài xiǎo
头发花白，穿一件蓝色带小
báihuā de chènshān . Tā shēnbiān , hái zhànzhe
白花的衬衫。她身边，还站着
yí gè yì mǐ bā gāo de dà nánhái , hěn
一个一米八高的大男孩，很
shòu , dà yǎnjing , pífū hěn hēi , shàng zuǐchún
瘦，大眼睛，皮肤很黑，上嘴唇
gānggāng zhǎngchūle húchár . Zhè quèshí shì
刚刚长出了胡茬儿[2]。这确实是
mǔqin zài diànhuà li shuō de èrjiù , jiùmā
母亲在电话里说的二舅、舅妈
hé sūnzi de jiātíng lǚyóutuán .
和孙子的家庭旅游团。

Zéyuán gǎnmáng xiàozhe jiào èrjiù , jiùmā ,
泽原赶忙笑着叫二舅、舅妈，
yòu pāile pāi nánhái , shuōle shēng xīnkǔ
又拍了拍男孩，说了声辛苦[3]
le , bāng tāmen ná dōngxi , dàizhe tāmen
了，帮他们拿东西，带着他们
xiàng tíngchē de dìfang zǒu qù .
向停车的地方走去。

Dànshì , bù zhī wèi shénme , tāmen bù
但是，不知为什么，他们不
zǒu , huítóu wǎng hòu kàn , Zéyuán yě zhǐhǎo
走，回头往后看，泽原也只好
zhàn zài nàr . Zhè shí tā kànjian liǎng gè
站在那儿。这时他看见两个

1 妇女：woman
e.g. 妇女能顶半边天。(Women in the new society can hold half of the sky.)

2 胡茬儿：teenage moustache

3 辛苦：hard; laborious
e.g. 辛苦了！(a polite word to show concern to one who has finished doing something)

zhōngnián fùnǚ hé yí gè shíbā-jiǔ suì de
中年妇女和一个十八九岁的
gūniang zǒu guòlai .
姑娘走过来。

Èrjiù jièshào shuō : “ Zhè shì nǐ èrsǎo ,
二舅介绍说：“这是你二嫂、
sānsǎo . Zhè shì nǐ sānsǎo de nǚ'ér Xiǎo
三嫂[1]。这是你三嫂的女儿小
Yàn . ”
燕。”

Zéyuán bèi xiàle yí tiào , xià de zài
泽原被吓[2]了一跳，吓得再
yě bú kùn le . Tā xīnli shuō , tiān na ,
也不困了。他心里说，天哪，
zěnme lái zhème duō rén ! Mǔqin zài diànhuà
怎么来这么多人！母亲在电话
li shuō zhǐyǒu sān gè rén , zěnme láile liù
里说只有三个人，怎么来了六
gè ? Zhè zhēn chéngle yí gè lǚyóutuán le .
个？这真成了一个旅游团了。
Èrsǎo , hǎoxiàng liùshí suì de yàngzi , yí kàn
二嫂，好像六十岁的样子，一看
jiù shì hěn xīnkǔ de nóngcūn fùnǚ . Sānsǎo
就是很辛苦的农村妇女。三嫂
dàgài sìshí duō suì de yàngzi , hěn xīngfèn ,
大概四十多岁的样子，很兴奋，
chuānzhe yì shuāng gāogēnxié , yǎnjing hé méimao
穿着一双高跟鞋[3]，眼睛和眉毛[4]
hěn xì , hěn cháng , liǎnshang huàzhuāng huà de
很细、很长，脸上化妆化得

1 **嫂**: elder brother's wife; sister-in-law
e.g. 二嫂: the second elder bother's wife; 三嫂: third elder brother's wife. Here 二嫂, 三嫂 are the second uncle's daughter-in-laws.

2 **吓**: to scare
e.g. 他突然从门后边出来，吓了我一跳(give me a shock)。
e.g. 你说话的声音小一点，别吓着孩子。

3 **高跟鞋**: high-heeled shoes
e.g. 她不喜欢穿高跟鞋，走路不方便。

4 **眉毛**: eyebrow
e.g. 她的眉毛很细、很长，不用化妆也很漂亮。

hěn bái . Tā de huà hěn duō , Zéyuán bù zhīdao
很白。她的话很多，泽原不知道
tā shì zuò shénme gōngzuò de . Pángbiān zhànzhe
她是做什么工作的。旁边站着
tā de nǚ'ér , yàngzi bú xiàng tā māma ,
她的女儿，样子不像她妈妈，
chuānzhe yì tiáo kāikǒu hěn dī de qúnzi ,
穿着一条开口很低的裙子，
yǎnjing hěn dà .
眼睛很大。

Zéyuán kànle kàn zhè yì jiā rén ,
泽原看了看这一家人，
yìbiān jiǎ xiàozhe , yìbiān xīnli jiàokǔ . Tā
一边假笑着，一边心里叫苦。他
xīnli shuō , mǔqin zěnme ràng zìjǐ jiēdài
心里说，母亲怎么让自己接待
zhèxiē rén .
这些人。

Mǔqin gēn tā shuōguo , èrjiù yǐqián
母亲跟他说过，二舅以前
jiāli hěn qióng , yìzhí zhù zài nóngcūn ,
家里很穷[1]，一直住在农村，
hěn shǎo yǒu jīhui chūlai . Zhè jǐ nián tā
很少有机会出来。这几年他
bànle yí gè xiǎo gōngchǎng , shēnghuó hǎo le ,
办了一个小工厂，生活好了，
yǒu qián le , jiù xiǎng chūlai lǚyóu le .
有钱了，就想出来旅游了。
Zhè cì tāmen lái Běijīng lǚyóu , shì yīnwèi
这次他们来北京旅游，是因为

1 穷: poor
e.g. 以前他家很穷，后来他家办了一个小工厂，他们的日子就富裕了。

èrjiù de sūnzi Lín Yàozōng xuéxí búcuò.
二舅的孙子林耀宗学习不错。
Lǎoshī shuō, tā míngnián yídìng néng kǎoshàng yí
老师说，他明年一定能考上一
gè hǎo dàxué. Èrjiù tèbié gāoxìng. Tā tīng
个好大学。二舅特别高兴。他听
lǎoshī shuō Běijīng Dàxué shì zuì hǎo de dàxué,
老师说北京大学是最好的大学，
èrjiù shuō, nà zánmen jiù kǎo Běijīng Dàxué!
二舅说，那咱们就考北京大学！
Zhè cì èrjiù dài sūnzi lái Běijīng lǚyóu,
这次二舅带孙子来北京旅游，
jiùshì xiǎng kànkan Běijīng Dàxué shénmeyàng!
就是想看看北京大学什么样！

Zéyuán juéde èrjiù de juédìng hěn yǒu
泽原觉得二舅的决定很有
yìyì, suǒyǐ tā bù hǎoyìsi jùjué tāmen.
意义，所以他不好意思拒绝他们。

Èrjiù de jiātíng lǚyóutuán xiànzài shì liù
二舅的家庭旅游团现在是六
gè rén le. Zéyuán gǎndào hěn máfan. Tā
个人了。泽原感到很麻烦。他
qīzi Méimei shì bù huānyíng kèren lái jiāli zhù
妻子梅梅是不欢迎客人来家里住
de. Tā gēn tā qīzi shāngliangle hěn cháng
的。他跟他妻子商量了很长
shíjiān, Méimei cái tóngyì ràng èrjiù yì jiā sān
时间，梅梅才同意让二舅一家三
gè rén zhù zài jiāli. Xiànzài tūrán láile
个人住在家里。现在突然来了

zhème duō rén, rúguǒ Zéyuán lǐng tāmen dào
这么多人，如果泽原领他们到
jiāli zhù, tā qīzi huì gèng bù gāoxìng.
家里住，他妻子会更不高兴。
Méimei shì Zéyuán de dì-èr gè qīzi, bǐ
梅梅是泽原的第二个妻子，比
Zéyuán xiǎo shí suì, niánqīng piàoliang. Tā de
泽原小十岁，年轻漂亮。她的
píqi bù hǎo. Zhǐyào tā bù gāoxìng, tā jiù
脾气不好。只要她不高兴，她就
fā píqi, shénme shì dōu zuò de chūlai.
发脾气[1]，什么事都做得出来。
Méimei shì Běijīngrén, tā kànbuqǐ Dōngběi de
梅梅是北京人，她看不起[2]东北的
qióng qīnqi, gèng bù huānyíng tāmen.
穷亲戚，更不欢迎他们。

Zéyuán gēn èrjiù yì jiā zhàn
泽原跟二舅一家站
zài guǎngchǎng shàng, hěn kuài jiù yǒu rén zǒu
在广场上，很快就有人走
guòlai. Zhèxiē rén shì jièshào xiǎo lǚdiàn de.
过来。这些人是介绍小旅店的。
Zhèxiē xiǎo lǚdiàn tiáojiàn fēicháng chà, chángcháng
这些小旅店条件非常差，常常
bèi rénmen chēngwéi "hēidiàn". Zéyuán lǐngzhe
被人们称为“黑店”[3]。泽原领着
èrjiù yì jiā rén líkāi tāmen. Zéyuán xiǎngle
二舅一家人离开他们。泽原想了
yíxià, tā de chē zuòbuxià liù gè rén,
一下，他的车坐不下六个人，

1 **发脾气**: lose one's temper
e.g. 他妻子的脾气不好，总是对他发脾气。

2 **看不起**: look down upon; **看得起**: think highly of
e.g. 有的城里人看不起乡下人。

3 **黑店**: illegal and unregistered shop or hotel
e.g. 在旅游的时候，不要住黑店。黑店的条件差，又不安全。

tā jiù bú qù qǔ chē le, lǐngzhe tāmen qù
他就不去取车了，领着他们去
chūzūchē zhàn. Xiān zuò chūzūchē dào tā de
出租车站。先坐出租车到他的
bàngōngshì, ránhòu tā zài xiǎng bànfǎ ānpái
办公室，然后他再想办法安排
zhèxiē qīnqimen.
这些亲戚们。

Chūzūchē zhàn hěn luàn, hěn yōngjǐ.
出租车站很乱，很拥挤。
Yǒude rén bù páiduì, qiánmian de chūzūchē
有的人不排队，前面的出租车
kāibuliǎo, hòumian de chūzūchē jiù zhǐhǎo
开不了，后面的出租车就只好
děngzhe, rénmen yě zhǐhǎo děngzhe. Yǐqián zhǐyǒu
等着，人们也只好等着。以前只有
dìtiě yōngjǐ, xiànzài chūzūchē yě jǐ le.
地铁[1]拥挤，现在出租车也挤了。
Zài hòubian páiduì de rén hěn zháojí. Èrjiù,
在后边排队的人很着急。二舅、
jiùmā bèi rénqún jǐzhe, bù tíng de cā hàn.
舅妈被人群挤着，不停地擦汗[2]。
Sānsǎo bù tíng de shuōhuà, hǎoxiàng tā shénme
三嫂不停地说话，好像她什么
dōu zhīdao, shénme dōu dǒng, ràng rén gǎndào
都知道，什么都懂，让人感到
tǎoyàn.
讨厌。

Sānsǎo shuō: "Āiya mā ya, Běijīngrén
三嫂说："哎呀妈呀[3]，北京人

1 **地铁**: metro; subway
e.g. 巴黎的地铁非常方便。

2 **擦汗**: wipe the sweat

3 **哎呀妈呀**: (the northern dialect) expression of amazement

yě bù zǎyàng a ! Chuān de yě bù rú ǎnmen
也不咋样啊！穿得也不如俺们
nà gā hǎo ne ! Běijīng de huǒchēzhàn yě bù
那旮[1]好呢！北京的火车站也不
rú Chángchūn de hǎo , zhème xiǎo , zhème pò
如长春的好，这么小、这么破
ya ? Chūzūchē hái shì pò Xiàlì , ǎnmen nà
呀？出租车还是破夏利，俺们那
gā zǎo jiù huàn Sāngtǎnà le . ” Tā shuō yì
旮早就换桑塔纳[2]了。”她说一
kǒu Dōngběihuà , shēngyīn yòu gāo yòu jiān , hěn duō
口东北话，声音又高又尖，很多
rén dōu kànzhe tā . Tā de nǚ'ér Xiǎo Yàn gǎndào
人都看着她。她的女儿小燕感到
bù hǎoyìsi , shuō : “ Mā , nǐ jiù shǎo shuō jǐ
不好意思，说：“妈，你就少说几
jù ba ! ”
句吧！”

Tīngle nǚ'ér de huà , sānsǎo jiù
听了女儿的话，三嫂就
bù shuōhuà le . Xiǎo Yàn gěi Zéyuán de yìnxiàng
不说话了。小燕给泽原的印象
hái búcuò . Zéyuán duì Běijīng chēzhàn de luàn
还不错。泽原对北京车站的乱
gǎndào hěn yíhàn . Tā qùguo Yìndù , Āijí ,
感到很遗憾。他去过印度、埃及、
Níbó'ěr , Tǔ'ěrqí , tā fāxiàn zhèxiē
尼泊尔、土耳其[3]，他发现这些
fāzhǎn zhōng guójiā de wèntí dōu yíyàng . Zhèxiē
发展中国家的问题都一样。这些

1 **俺们那旮**: (the northern dialect) **我们那儿**

2 **“夏利”和“桑塔纳”**: makes of cars

3 **印度**: India; **埃及**: Egypt; **尼泊尔**: Nepal; **土耳其**: Turkey

dà chéngshì dōu shì rénkǒu duō, huánjìng chà.
大城市都是人口多、环境差。
Běijīng bǐ zhèxiē chéngshì hǎo duō le.
北京比这些城市好多了。

Zéyuán yìbiān ānwèi qīnqimen yìbiān
泽原一边安慰亲戚们一边
páiduì. Tā fāxiàn nánhái Lín Yàozōng de dà
排队。他发现男孩林耀宗的大
yǎnjing zǒngshì zài zhùyì zìjǐ. Lín Yàozōng
眼睛总是在注意自己。林耀宗
zǒngshì gēn zài tā de shēnhòu, tā zuò shénme,
总是跟在他的身后，他做什么，
Lín Yàozōng jiù zuò shénme, hěn shǎo shuōhuà,
林耀宗就做什么，很少说话，
zhàoguzhe yì qún lǎorén hé fùnǚ. Měi cì
照顾着一群老人和妇女。每次
tā kàn Lín Yàozōng de shíhou, Lín Yàozōng dōu
他看林耀宗的时候，林耀宗都
bù hǎoyìsi. Zéyuán juéde Lín Yàozōng zhè gè
不好意思。泽原觉得林耀宗这个
háizi hěn xiàng yǐqián de zìjǐ, cōngmíng,
孩子很像以前的自己，聪明、
ānjìng, hǎoxiàng yǒu hěn duō xīnshi, yì shuāng
安静，好像有很多心事，一双
míngliàng de dà yǎnjing zhùyìzhe zhōuwéi.
明亮的大眼睛注意着周围。

Tāmen zhōngyú děngdàole liǎng liàng
他们终于等到了两辆
chūzūchē, tāmen yìqǐ zuò chē qù Zéyuán de
出租车，他们一起坐车去泽原的

dānwèi . Zéyuán de bàngōngshì zài shìzhōngxīn .
单位。泽原 的 办公室 在 市中心。
Bàngōng dàlóu hěn ānjìng . Yīnwèi shì xīngqīliù ,
办公 大楼 很 安静。因为 是 星期六，
bú huì yǒu tóngshìmen kànjian tā lǐngzhe yì qún
不 会 有 同事们 看见 他 领着 一 群
Dōngběi nóngcūn de qīnqi , tā bú huì gǎndào
东北 农村 的 亲戚，他 不 会 感到
diū miànzi . Bàngōnglóu ménkǒu de shìbīng duì zhè
丢 面子。办公楼 门口 的 士兵[1] 对 这
yì qún rén gǎndào huáiyí . Zéyuán shì chùzhǎng ,
一 群 人 感到 怀疑[2]。泽原 是 处长，
zǒu guòqu gēn tāmen shuōle jǐ jù , tāmen
走 过去 跟 他们 说了 几 句，他们
cái kèqi de fàng tāmen jìnqu . Qīnqimen
才 客气 地 放 他们 进去。亲戚们
kàndào bàngōng dàlóu zhuàngguān wēiyán ,
看到 办公 大楼 壮观 威严[3]，
tāmen kāishǐ duì Běijīng , guójiā jīguān yǒule
他们 开始 对 北京、国家 机关 有了
chóngbàigǎn . Sānsǎo yě bù duō shuōhuà le ,
崇拜感[4]。三嫂 也 不 多 说话 了，
qīngqīng de , xiǎoxīn de gēnzhe wǎng li zǒu .
轻轻地、小心地 跟着 往 里 走。

Zéyuán lǐng tāmen dàole tā de bàngōngshì .
泽原 领 他们 到了 他 的 办公室。
Tā kāile mén , ràng tāmen zuòxià , hē shuǐ .
他 开了 门，让 他们 坐下，喝 水。
Bàngōngshì bú dà , jìnlai liù-qī gè rén ,
办公室 不 大，进来 六七 个 人，

1 **士兵**: soldier

2 **怀疑**: to doubt; to suspect

e.g. 我对他的话很怀疑。

e.g. 他怀疑是他的同学把他的自行车骑走了。

3 **壮观威严**: grand and majestic

e.g. 北京的人民大会堂壮观威严。

4 **崇拜感**: adoration

e.g. 人们看到天安门的时候，都有一种崇拜感。

yíxiàzi jiù xiǎnde hěn yōngjǐ . Zéyuán náchū
一下子就显得很拥挤。泽原拿出
zìjǐ de diànhuàběn , zhǎo lǚguǎn de diànhuà .
自己的电话本，找旅馆的电话。
Tā rènshi jǐ gè jiǔdiàn de lǎobǎn , kěshì duì
他认识几个酒店的老板，可是对
tā de qīnqi lái shuō , nàxiē jiǔdiàn tài guì
他的亲戚来说，那些酒店太贵
le . Zéyuán yòu zhǎochū Běijīng de huángyè , gěi
了。泽原又找出北京的黄页，给
lǚguǎn dǎ diànhuà .
旅馆打电话。

Piányi de lǚguǎn dōu mǎn le .
便宜的旅馆都满了。
Xiànzài yào jiēdài zhème duō rén , tā zhēnshì
现在要接待这么多人，他真是
gǎndào yǒudiǎn nán . Qīyuè shì Běijīng zuì rè
感到有点难。七月是北京最热
de shíhou , xuésheng fàng shǔjià . Jiāzhǎngmen
的时候，学生放暑假。家长们
dōu dàizhe háizimen lái Běijīng lǚyóu , xiàtiān
都带着孩子们来北京旅游，夏天
jiù chéngle lǚyóu wàngjì . Xiàng èrjiù jiā
就成了旅游旺季[1]。像二舅家
gānggāng yǒule diǎn qián , yě xiǎng chūmén lǚyóu
刚刚有了点钱，也想出门旅游
le , kànlái Zhōngguórén de shēnghuó zhēnshì bǐ
了，看来中国人的生活真是比
yǐqián hǎo le .
以前好了。

1 **旺季**: busy season
e.g. 暑假是旅游旺季，学生们都喜欢在暑假旅游。

Zéyuán dǎle bàn gè xiǎoshí de diànhuà,
泽原打了半个小时的电话，
yě méi zhǎodào héshì de lǚguǎn. Tā xiǎngle
也没找到合适的旅馆。他想了
xiǎng, jiù dǎ diànhuà wèn xīngjí jiǔdiàn. Hái
想，就打电话问星级酒店[1]。还
hǎo, xīngjí jiǔdiàn suīrán guì, dànshì dōu yǒu
好，星级酒店虽然贵，但是都有
kōng fángjiān. Tā zhǎodào yì jiā lí shìzhōngxīn
空房间。他找到一家离市中心
jìn de jiǔdiàn, wènle jiàgé, yì jiān fáng
近的酒店，问了价格，一间房
bú dào sānbǎi kuài qián. Zéyuán suànle yíxià,
不到三百块钱。泽原算了一下，
rúguǒ qīnqimen zhù sì gè wǎnshang, sān gè
如果亲戚们住四个晚上，三个
fángjiān, tā juéde hái kěyǐ jiēshòu. Jiēdài
房间，他觉得还可以接受[2]。接待
zhème duō de qīnqi, tā yě yīnggāi huā jǐqiān
这么多的亲戚，他也应该花几千
kuài qián, jiùsuàn shì wèile mǔqin ba!
块钱，就算是为了母亲吧！

Zéyuán dìnghǎole fángjiān, dàilǐngzhe
泽原订[3]好了房间，带领着
qīnqi zǒuchū bàngōng dàlóu, jiàole liǎng liàng
亲戚走出办公大楼，叫了两辆
chūzūchē, láidàole jiǔdiàn. Chūzūchē tíng zài
出租车，来到了酒店。出租车停在
le jiǔdiàn ménkǒu, fúwùyuán zǒu guòlai dǎkāi
了酒店门口，服务员[4]走过来打开

1 **星级酒店**: star hotel
e.g. 这个城市的星级酒店很多，价格也不贵。

2 **接受**: to accept
e.g. 这个工作很难做，但是他还是接受了。

3 **订**: to book; to order
e.g. 我订好了去北京的飞机票，也订了旅馆的房间。

4 **服务员**: attendant who serves customers in a hotel; waiter or waitress in restaurants

chēmén . Tāmen jìnle jiǔdiàn , gǎndàole zhènzhèn
车门。他们 进了 酒店，感到了 阵阵
lěngqì , wéndàole huāxiāng . Zhèli gēn wàimian
冷气，闻到了 花香。这里 跟 外面
de rè tiānqì zhēnshì liǎng gè bùtóng de shìjiè .
的 热 天气 真是 两 个 不同 的 世界。
Zéyuán ràng qīnqimen zuò zài shāfā shàng
泽原 让 亲戚们 坐 在 沙发 上
děngzhe , zìjǐ qù bàn shǒuxù . Kěshì
等着，自己 去 办 手续[1]。可是
qīnqimen zhànzhe bú dòng , bù zhīdao zuò
亲戚们 站着 不 动，不 知道 做
shénme . Èrjiù duì Zéyuán shuō : " Zéyuán , nà
什么。二舅 对 泽原 说："泽原，那
shá , ǎnmen bú zhù zhème hǎo de dìfang . "
啥，俺们 不 住 这么 好 的 地方。"
Zéyuán shuō : " Zhè shì yìbān de jiǔdiàn . Nǐmen
泽原 说："这 是 一般 的 酒店。你们
dì-yī cì lái Běijīng , wǒ lái fù qián , búyòng
第一 次 来 北京，我 来 付 钱，不用
nǐmen huā qián . Zhè shì wǒ yīnggāi zuò de . Nín
你们 花 钱。这 是 我 应该 做 的。您
jiù zhù zài zhèr ba . " Tā bú ràng tāmen
就 住 在 这儿 吧。" 他 不 让 他们
dānxīn qián de wèntí .
担心 钱 的 问题。

Zéyuán bànhǎole shǒuxù , nále yàoshi .
泽原 办好了 手续，拿了 钥匙。
Tāmen yìqǐ jìnle diàntī , dàole shíwǔ céng ,
他们 一起 进了 电梯，到了 15 层，

1 **办手续**: go through procedures
e.g. 他想到中国留学，可是还没开始办手续呢。

zhǎodàole fángjiān. Zéyuán jiāo tāmen zěnyàng yòng
找到了 房间。泽原 教 他们 怎样 用
kǎ kāi mén, yòng kǎ qǔ diàn děngděng, ràng
卡 开 门、用 卡 取 电[1] 等等，让
tāmen dào gèzì de fángjiān xiūxi yíhuìr,
他们 到 各自 的 房间 休息 一会儿，
ránhòu dào lóuxià qù chī zǎocān. Èrjiù shuō:
然后 到 楼下 去 吃 早餐。二舅 说：
"Búyòng xiūxi, fàn yě bù chī le, ǎnmen
"不用 休息，饭 也 不 吃 了，俺们
zài huǒchē shàng chīle yìdiǎn." Zéyuán shuō:
在 火车 上 吃了 一点。"泽原 说：
"Zǎocān shì miǎnfèi de, háishi chī yìdiǎn
"早餐 是 免费[2] 的，还是 吃 一点
ba. Zài wánr de shíhou nǐmen huì è de."
吧。在 玩儿 的 时候 你们 会 饿 的。"
Qīnqimen tīngshuō búyòng huā qián, jiù bù shuō
亲戚们 听说 不用 花 钱，就 不 说
shénme le.
什么 了。

Zéyuán zài èrjiù hé Lín Yàozōng
泽原 在 二舅 和 林 耀宗
de fángjiān li zuòxià, hēzhe chá. Èrjiù hé
的 房间 里 坐下，喝着 茶。二舅 和
Lín Yàozōng zhuàn lái zhuàn qù, lìngwài liǎng gè
林 耀宗 转 来 转 去，另外 两 个
fángjiān de sì gè nǚ qīnqi yě shì zǒu lái zǒu
房间 的 四 个 女 亲戚 也 是 走 来 走
qù, kànkan zhèr, kànkan nàr, yòu cóng
去，看看 这儿，看看 那儿，又 从

1 **用卡开门、用卡取电**：In some hotels, a card is used as a secure key to open the door and to get electricity.

2 **免费**：free of charge

e.g. 这家旅馆的早餐是免费的。

e.g. 老年人逛公园免费。

chuānghu wǎng wàimian kànkan . Tāmen cónglái méi
窗户往外面看看。她们从来没
zhùguo zhème guì de jiǔdiàn , duì zhèli de
住过这么贵的酒店，对这里的
yíqiè dōu gǎndào xīnqí .
一切都感到新奇[1]。

Zéyuán gěi qīzi Méimei dǎ diànhuà ,
泽原给妻子梅梅打电话，
gàosu tā búyòng zhǔnbèi le , qīnqimen zhù
告诉她不用准备了，亲戚们住
jiǔdiàn le . Jīntiān tā lǐngzhe tāmen zài Běijīng
酒店了。今天他领着他们在北京
Shì li wánr . Méimei zài jiā yǐjīng bǎ fángjiān
市里玩儿。梅梅在家已经把房间
shōushi hǎo le , zhǔnbèi jiēdài èrjiù yì jiā .
收拾好了，准备接待二舅一家。
Tīngshuō qīnqimen bù lái jiāli zhù le , Méimei
听说亲戚们不来家里住了，梅梅
gāoxìng de zài diànhuà li jiàole yì shēng .
高兴地在电话里叫了一声。

Zéyuán gāng gěi Méimei dǎwán diànhuà ,
泽原刚给梅梅打完电话，
mǔqin jiù lái diànhuà le , wèn èrjiù tāmen
母亲就来电话了，问二舅他们
dàole méiyǒu . Zéyuán shuō , dào le , yǐjīng
到了没有。泽原说，到了，已经
zhùjìn jiǔdiàn le , dànshì lái de bú shì sān
住进酒店了，但是来的不是三
gè rén , érshì liù gè rén . Mǔqin yì tīng ,
个人，而是六个人。母亲一听，

1 **新奇**: new; novel
e.g. 世界各国的游人来到中国处处觉得新奇。

chījīng de “ ā ” le yì shēng . Mǔqin méi
吃惊[1]地“啊”了一声。母亲没
xiǎngdào gěi érzi dàilái zhème duō máfan ,
想到给儿子带来这么多麻烦，
xīnli gǎndào yǒuxiē hòuhuǐ .
心里感到有些后悔[2]。

Zéyuán shuō : “ Mā , nín jiù bié dānxīn
泽原说：“妈，您就别担心
le , jìrán lái le , wǒ jiù jiēdài tāmen . ”
了，既然来了，我就接待他们。”

Mǔqin dānxīn de shuō : “ Nǐ néng xíng
母亲担心地说：“你能行
ma ? Méimei néng gāoxìng ma ? ”
吗？梅梅能高兴吗？”

Zéyuán shuō : “ Méishì , mā , nín jiù bié
泽原说：“没事，妈，您就别
dānxīn le . ”
担心了。”

Mǔqin duì Zéyuán líhūn de shì hěn
母亲对泽原离婚的事很
bù mǎnyì . Mǔqin bù xǐhuan Méimei .
不满意。母亲不喜欢梅梅。
Zéyuán hé qiánqī yǒu yí gè érzi , xiànzài
泽原和前妻[3]有一个儿子，现在
tā de érzi gēn qiánqī yìqǐ shēnghuó . Zéyuán
他的儿子跟前妻一起生活。泽原
de mǔqin fēicháng xǐhuan zhè gè sūnzi , hěn
的母亲非常喜欢这个孙子，很
xiǎng sūnzi . Tā rènwéi shì Méimei chāisànle
想孙子。她认为是梅梅拆散[4]了

1 **吃惊**: be surprised
e.g. 听说他的朋友离婚了，他感到很吃惊。

2 **后悔**: to regret
e.g. 没有接受这个工作，他感到很后悔。

3 **前妻**: former wife

4 **拆散**: break apart; to separate
e.g. 丈夫有了情人，经常和妻子吵架。这个家庭被拆散了。

Zéyuán de jiā . Méimei yě bù tǎohǎo Zéyuán
泽原的家。梅梅也不讨好[1]泽原
de mǔqin . Xiànzài Zéyuán gēn fùmǔ guānxi
的母亲。现在泽原跟父母关系
bú tài hǎo , tā yě xiǎng gǎishàn yíxià tā hé
不太好，他也想改善一下他和
fùmǔ de guānxi .
父母的关系。

Zéyuán xiànzài sìshí duō suì le , tā
泽原现在四十多岁了，他
xiǎng de dōu shì hěn xiànshí de shìqing , bǐrú ,
想的都是很现实的事情，比如，
zěnyàng bǎ lǎorén ānpái hǎo , bǎ érzi
怎样把老人安排好，把儿子
yǎngdà , zěnyàng zhǔnbèi érzi chūguó liúxué de
养大，怎样准备儿子出国留学的
qián , tā hé Méimei yàobuyào zài shēng yí
钱，他和梅梅要不要再生一
gè háizi děngděng . Tā xiǎng píngpíng'ān'ān
个孩子等等。他想平平安安[2]
de shēnghuó , zài gōngzuò shíjǐ nián jiù
地生活，再工作十几年就
tuìxiū le . Suīrán tā yǐjīng guòshàngle báilǐng
退休了。虽然他已经过上了白领
shēnghuó , yǒule fángzi , yǒule qìchē , dànshì ,
生活，有了房子，有了汽车，但是，
tā què méiyǒule shēnghuó de jīqíng . Èrshí
他却没有了生活的激情。二十
nián yǐqián tā kǎoshàngle Běijīng Dàxué , nà
年以前他考上了北京大学，那

1 **讨好**: to blandish; to please
e.g. 他为了提升，经常讨好公司老板。

2 **平平安安**: safely; safe and sound
e.g. 人们都喜欢生活得平平安安的。

shí tā yǒu hěn duō lǐxiǎng , tā hěn jiāo'ào .
时他有很多理想[1]，他很骄傲[2]。
Xiànzài tā chéngle yí gè méiyǒu lǐxiǎng de
现在他成了一个没有理想的
zhōngniánrén le .
中年人了。

Zéyuán xiǎngdào zhèli , kànjian èrjiù
泽原想到这里，看见二舅
hé Lín Yàozōng hái zài fángjiān li zǒu lái
和林耀宗还在房间里走来
zǒu qù , yīfu méi huàn , liǎn yě méi xǐ .
走去，衣服没换，脸也没洗。
Èrjiù háishi chuānzhe zāng bèixīn , Lín Yàozōng
二舅还是穿着脏[3]背心，林耀宗
de tóufa hái shì luàn de . Tāmen bù zhīdao
的头发还是乱的。他们不知道
yìnggāi zuò shénme . Zéyuán yǒuxiē bù gāoxìng .
应该做什么。泽原有些不高兴。
Děng èrjiù chūqu de shíhou , Zéyuán duì
等二舅出去的时候，泽原对
Lín Yàozōng shuō : " Nǐ qù wèn yéye dài méi
林耀宗说："你去问爷爷带没
dài chènshān , chūmén chuān bèixīn bù hǎokàn . "
带衬衫，出门穿背心不好看。"
Zéyuán yòu shuō : " Xiǎohuǒzi , nǐ shēnshang zhè
泽原又说："小伙子，你身上这
jiàn T-xù shān búcuò , hái shì Yìdàlì míngpái
件T恤衫不错，还是意大利名牌
ne ! Zài bǎ tóufa shūshu , jiù gēn zhè jiàn
呢！再把头发梳梳[4]，就跟这件

1 理想：ideal
e.g.他的理想是当一名工程师。
e.g.他是一个很有理想的年轻人。
2 骄傲：proud
e.g.他的学习成绩很好，但是他一点也不骄傲。
3 脏：dirty
e.g.这件衣服太脏了，拿到洗衣店洗一洗。
4 梳（头）：comb one's hair
e.g.今天早上他起晚了，没吃饭、没洗脸、没梳头就去上课了。

yīfu gèng pèi le. ”
衣服更配[1]了。”

Lín Yàozōng liǎnhóng le, zǒujìnle wèishēngjiān. Tā chūlai shí, tóufa yǐjīng shū de hěn zhěngqí. Yéye jìnlai le, tā ràng yéye huàn yīfu, yéye shuō tā bú huàn.
林耀宗脸红了，走进了卫生间。他出来时，头发已经梳得很整齐。爷爷进来了，他让爷爷换衣服，爷爷说他不换。

Lín Yàozōng duì yéye shuō: "Zài bīnguǎn li, chuān bèixīn zǒu jìn zǒu chū bù wénmíng."
林耀宗对爷爷说："在宾馆里，穿背心走进走出不文明[2]。"

Yéye bù gāoxìng de shuō: "Bù wénmíng shá, nǐ hái méi shàng Běijīng Dàxué ne, jiù shuō wǒ bù wénmíng." Èrjiù yìbiān shuōzhe yìbiān huàn yīfu.
爷爷不高兴地说："不文明啥，你还没上北京大学呢，就说我不文明。"二舅一边说着一边换衣服。

Tāmen yìqǐ dào èr lóu chī zǎocān. Nǚrénmen yě méi huàn yīfu, sānsǎo hé tā nǚ'ér de liǎnshang yòu huàle yì céng zhuāng, liǎnshang báibái de. Sānsǎo dà shēng shuōzhe
他们一起到二楼吃早餐。女人们也没换衣服，三嫂和她女儿的脸上又化了一层妆，脸上白白的。三嫂大声说着

1 配：to match
e.g. 这条裙子的颜色很鲜艳，不好配上衣。
e.g. 你的衣服和这双鞋很相配。

2 文明：civilized
e.g. 这个人经常说脏话，很不文明。大家都不喜欢他。

huà , nále hěn duō chī de dōngxi , bǎ tā de
话，拿了很多吃的东西，把她的
pánzi zhuāng de mǎnmǎn de . Zéyuán yòu bǎ Lín
盘子装得满满的。泽原又把林
Yàozōng jiào guòlai , qiāoqiāo de ràng tā gàosu
耀宗叫过来，悄悄[1]地让他告诉
dàjiā , chī duōshao ná duōshao , yí cì búyào
大家，吃多少拿多少，一次不要
ná tài duō .
拿太多。

Zài fànzhuō shàng , Zéyuán wèn dàjiā xiǎng
在饭桌上，泽原问大家想
qù nǎr , xiǎng zài Běijīng zěnme wánr .
去哪儿，想在北京怎么玩儿。
Èrjiù shuō xiǎng kànkan Běijīng Dàxué . Sānsǎo
二舅说想看看北京大学。三嫂
shuō , xiǎng kàn Tiān'ān Mén , qù Chángchéng , chī
说，想看天安门、去长城、吃
Běijīng kǎoyā . Zéyuán xiàoxiào , méi shuōhuà .
北京烤鸭。泽原笑笑，没说话。
Zéyuán yòu wèn tāmen zhǔnbèi zài Běijīng wán
泽原又问他们准备在北京玩
jǐ tiān , tā hǎo qù dìng huǒchēpiào . Èrjiù
几天，他好去订火车票。二舅
yǒudiǎn bù gāoxìng de shuō : " Ǎnmen dāi liǎng
有点不高兴地说："俺们待两
tiān , bǎ Běijīng kànkan jiù zǒu , bú huì tài
天，把北京看看就走，不会太
máfan nǐ de . " Zéyuán zhīdao èrjiù wùhuì
麻烦你的。"泽原知道二舅误会[2]

1 悄悄: quietly
e.g. 大家在开会，他悄悄地走出去，打了一个电话。
2 误会: to misunderstand
e.g. 你误会了我的意思。

le, gǎnmáng jiěshì shuō: "Xiànzài shì lǚyóu
了，赶忙解释说："现在是旅游
wàngjì, yóukè tèbié duō, yào tíqián dìng
旺季，游客特别多，要提前[1]订
piào." Èrjiù shuō: "Nà jiù nǐ juédìng ba."
票。"二舅说："那就你决定吧。"

Zéyuán děng dàjiā chīwán zǎofàn, xiǎngle
泽原等大家吃完早饭，想了
xiǎng, xiān lǐng tāmen qù Gù Gōng, Běi Hǎi
想，先领他们去故宫[2]、北海
Gōngyuán, zhè shì wàidìrén lái Běijīng yào kàn
公园，这是外地人来北京要看
de dì-yī gè dìfang. Yīnwèi chūzūqìchē zài
的第一个地方。因为出租汽车在
Běijīng Tiān'ān Mén bù hǎo tíngchē, tā lǐngzhe
北京天安门不好停车，他领着
dàjiā zuò dìtiě. Dìtiě li hěn yōngjǐ, hěn
大家坐地铁。地铁里很拥挤，很
rè, Zéyuán yǒudiǎn lěi, duì zhōuwéi de yíqiè
热，泽原有点累，对周围的一切
dōu bù gǎn xìngqù.
都不感兴趣。

Tā zài Běijīng shēnghuó èrshí nián le.
他在北京生活二十年了。
Tā gāng lái Běijīng de shíhou, tā de hěn
他刚来北京的时候，他的很
duō qīnqi péngyou dōu lái Běijīng wán. Yǒu yí
多亲戚朋友都来北京玩。有一
cì, zài yí gè yuè zhīnèi, tā lǐngzhe qīnqi
次，在一个月之内，他领着亲戚

1 **提前**: in advance
e.g. 春节的火车票很难买，我们得提前订票。

2 **故宫**: Forbidden City

péngyou qùle sì cì Yíhé Yuán, Yuánmíng
朋友去了四次颐和园[1]、圆明
Yuán, wǔ cì Gù Gōng, zǒubiànle Běijīng de
园[2]，五次故宫，走遍了北京的
Wángfǔjǐng Dàjiē hé Xīdān Dàjiē. Nà shì
王府井大街和西单大街[3]。那是
duōme dà de rèqíng! Èrshí nián guòqu le,
多么大的热情！二十年过去了，
zhèxiē dìfang tā qùguo bǎi-bāshí tàng le,
这些地方他去过百八十趟[4]了，
zǎojiù méiyǒu xìngqù le. Gùgōng li méiyǒu
早就没有兴趣了。故宫里没有
shù, tèbié rè. Zéyuán zhēn bù xiǎng jìnqu.
树，特别热。泽原真不想进去。
Kěshì zhèxiē qīnqi shì dì-yī cì lái Běijīng,
可是这些亲戚是第一次来北京，
tā bìxū péi tāmen jìnqu.
他必须陪他们进去。

Dāng kànjian Tiān'ān Mén de shíhou,
当看见天安门的时候，
hái shì sānsǎo dì-yī gè jiào qǐlai:
还是三嫂第一个叫起来：
"Āiya mā ya, zhè jiù shì Tiān'ān Mén na!"
"哎呀妈呀，这就是天安门哪！"
Ránhòu jiù méi huà shuō le. Zéyuán bù zhīdao
然后就没话说了。泽原不知道
qīnqimen zài xiǎng shénme. Tā duì tāmen bú
亲戚们在想什么。他对他们不
tài liǎojiě. Dàrenmen hěn jīdòng, Běijīng zài
太了解。大人们很激动，北京在

1 颐和园: Summer Palace

2 圆明园: Yuanmingyuan, an imperial palace destroyed by British and French allied forces in 1860 during the Second Opium War

3 王府井大街和西单大街: Wangfujing Street and Xidan Street, two busy downtown streets in Beijing

4 百八十趟: a hundred times or so. Here the phrase is used to emphasize that Zeyuan has been to the places many times.

dàren xīnzhōng shì yí gè shénshèng de dìfang.
大人心中是一个神圣[1]的地方。

Zéyuán shàng xiǎoxué de shíhou, lǎoshī gàosu tāmen: "Wǒ ài Běijīng Tiān'ān Mén, yīnwèi tā shì Máo zhǔxí shēngqǐ dì-yī miàn Wǔxīng-Hóngqí de dìfang." Ér Lín Yàozōng hé Xiǎo Yàn zhè liǎng gè háizi shì 1980 nián yǐhòu chūshēng de, tāmen shàng xiǎoxué de shíhou, dì-yī kè de kèwén yǐjīng bú shì "Wǒ Ài Běijīng Tiān'ān Mén" le. Zéyuán bù zhīdao tāmen zài xiǎng shénme.
泽原上小学的时候，老师告诉他们："我爱北京天安门，因为它是毛主席升起第一面五星红旗的地方。"而林耀宗和小燕这两个孩子是1980年以后出生的，他们上小学的时候，第一课的课文已经不是"我爱北京天安门"了。泽原不知道他们在想什么。

Tāmen zǒujìnle Gù Gōng. Tiānqì hěn rè, ràng rén gǎndào hěn mēn. Tāmen hé zhòngduō de yóukè zǒujìn Wǔ Mén, cānguān Kūnníng Gōng, Qiánqīng Gōng děngděng.
他们走进了故宫。天气很热，让人感到很闷[2]。他们和众多的游客走进午门，参观坤宁宫、乾清宫[3]等等。

Zéyuán kànzhe jǐ gè lǎorén yìbiān
泽原看着几个老人一边

1 **神圣**: sacred; holy
2 **闷**: hot and stuffy
e.g. 这几天闷热，大家都觉得很难受。
e.g. 屋子里很闷，请把窗户打开。
3 **坤宁宫、乾清宫**: palaces in the Forbidden City

zǒu yìbiān cā hàn, hǎoxiàng yě méiyǒu shénme
走一边擦汗，好像也没有什么
gǎnshòu. Sānsǎo hé Xiǎo Yàn chuānzhe gāogēnxié
感受。三嫂和小燕穿着高跟鞋
fèilì de zǒuzhe, liǎnshang de zhuāng yǐjīng
费力地走着，脸上的妆已经
bèi hànshuǐ xǐ de bái yí dào, hóng yí dào.
被汗水洗得白一道、红一道。
Tāmen shuō Gù Gōng tài dà le, bàntiān hái méi
她们说故宫太大了，半天还没
zǒuwán. Zhǐyǒu Lín Yàozōng zhè gè shíbā suì de
走完。只有林耀宗这个十八岁的
qīngnián, rènzhēn de kànzhe yí zuò zuò gōngdiàn,
青年，认真地看着一座座宫殿[1]，
hǎoxiàng zài xiǎngzhe shénme. Zéyuán kāishǐ xǐhuan
好像在想着什么。泽原开始喜欢
Lín Yàozōng le.
林耀宗了。

Gù Gōng de ménpiào bǐ yǐqián guì,
故宫的门票比以前贵，
tàiyáng yě bǐ yǐqián rè, rén yě bǐ yǐqián
太阳也比以前热，人也比以前
duō, qítā fāngmiàn méiyǒu shénme biànhuà. Tā
多，其他方面没有什么变化。他
lǐngzhe tāmen wǎng qián zǒu. Yángguāng xià, tā
领着他们往前走。阳光下，他
yìbiān zǒu yìbiān huíxiǎngzhe yǐqián de shìqing.
一边走一边回想着以前的事情。
Yǐqián, tā chángcháng hé qiánqī lái Gù Gōng.
以前，他常常和前妻来故宫。

1 宫殿: palace

Tā de qiánqī shì tā de dàxué tóngxué, tāmen
他的前妻是他的大学同学，他们
de liànqíng liú zài le Běijīng de měi yí gè
的恋情[1]留在了北京的每一个
dìfang, ràng tā hěn nán wàngjì.
地方，让他很难忘记。

Xiànzài Zéyuán hé qīzi Méimei dōu shì qù
现在泽原和妻子梅梅都是去
jiāoqū wán. Běijīng Shì li de lǎo jǐngdiǎn dōu
郊区玩。北京市里的老景点都
biànchéngle lǚyóuqū, ràng wàishěngrén qù kàn.
变成了旅游区，让外省人去看。
Yǐqián, Zéyuán jiù shì yí gè wàishěngrén,
以前，泽原就是一个外省人，
duì zhèli de yíqiè dōu yǒuzhe rèqíng. Tā zài
对这里的一切都有着热情。他在
zhèli shēnghuóle èrshí nián, biànchéngle yí gè
这里生活了二十年，变成了一个
Běijīngrén, shuōzhe Běijīnghuà. Xiànzài tā duì
北京人，说着北京话。现在他对
zhèxiē dìfang yìdiǎnr yě bù gǎn xìngqù le.
这些地方一点儿也不感兴趣了。

Zhè shí, Lín Yàozōng wèn tā: "Shū, nǐ
这时，林耀宗问他："叔，你
shuō Gù Gōng li wèi shénme méiyǒu shù?" Shì
说故宫里为什么没有树？"是
a! Huánggōng li wèi shénme bú zhòng shù
啊！皇宫[2]里为什么不种树
ne? Zéyuán yuèláiyuè xǐhuan Lín Yàozōng le,
呢？泽原越来越喜欢林耀宗了，

1 **恋情**: love
e.g. 他们虽然谈了两年的恋爱，却没公布恋情，最后他们就分手了。

2 **皇宫**: imperial palace

tā juéde Lín Yàozōng hěn cōngmíng.
他觉得林耀宗很聪明。

Cóng Gù Gōng de běi mén chūlai, Zéyuán lǐngzhe qīnqimen zài fànguǎn li chīle fàn, jiēzhe zǒujìnle Jǐng Shān Gōngyuán. Xiàwǔ gèng rè le, kěshì zhèli réngrán yǒu hěn duō yóukè. Zéyuán lǐng tāmen kànle Míngcháo de zuìhòu yí gè huángdì Chóngzhēn shàngdiào de shù. Tāmen yòu páshàng shāndǐng kàn Běijīng zhōngzhóuxiàn. Ránhòu, Zéyuán lǐng tāmen yóulǎnle Běi Hǎi Gōngyuán. Yí kàndào hú li yǒu chuán, Xiǎo Yàn jiù xīngfèn qǐlai, yào huá chuán. Sānsǎo hé Lín Yàozōng péi Xiǎo Yàn yìqǐ huá chuán, Zéyuán péi lìngwài sān gè rén děngzhe tāmen. Xiàwǔ wǔdiǎn duō, Zéyuán lǐngzhe qīnqi zǒuchū Běi Hǎi Gōngyuán, dào fànguǎn li chīle wǎnfàn, yòu bǎ tāmen sònghuí jiǔdiàn.
从故宫的北门出来，泽原领着亲戚们在饭馆里吃了饭，接着走进了景山公园。下午更热了，可是这里仍然有很多游客。泽原领他们看了明朝的最后一个皇帝崇祯上吊的树。[1]他们又爬上山顶看北京中轴线[2]。然后，泽原领他们游览了北海公园。一看到湖里有船，小燕就兴奋起来，要划船[3]。三嫂和林耀宗陪小燕一起划船，泽原陪另外三个人等着他们。下午五点多，泽原领着亲戚走出北海公园，到饭馆里吃了晚饭，又把他们送回酒店。

1 In Jingshan Park, there is a tree on which the last emperor Chongzhen of the Ming Dynasty hanged himself in 1644.

2 **北京中轴线**: the south-north axis from Qianmen, Tian'anmen, Wumen, etc. to the back of the Forbidden City

3 **划船**: go boating
e.g. 很多公园都有湖，都可以划船。

Ránhòu tā huídào huǒchēzhàn qǔle chē, kāichē
然后 他 回到 火车站 取了 车，开车
huí jiā.
回 家。

Zhè yì tiān xiàlai, tā lèihuài le.
这 一 天 下来，他 累坏 了。
Qīzi Méimei què shuō, shì tā zìjǐ yuànyi
妻子 梅梅 却 说，是 他 自己 愿意
de. Tā shuō, ràng qīnqimen cānjiā lǚyóutuán,
的。她 说，让 亲戚们 参加 旅游团，
jiù bú zhème lèi le. Zéyuán tài lèi, bù
就 不 这么 累 了。泽原 太 累，不
xiǎng gēn tā shuōhuà. Tā gāng tǎngle yíhuìr,
想 跟 她 说话。他 刚 躺了 一会儿，
mǔqin jiù lái diànhuà le, wèn èrjiù yì jiā
母亲 就 来 电话 了，问 二舅 一 家
wánr de zěnmeyàng. Zéyuán shuō hái hǎo,
玩儿 得 怎么样。泽原 说 还 好，
qùle Gù Gōng hé Běi Hǎi. Zéyuán wèn sānsǎo
去了 故 宫 和 北 海。泽原 问 三嫂
shì gàn shénme de. Mǔqin shuō: "Tā bù
是 干 什么 的。母亲 说："她 不
gōngzuò. Xiǎo Yàn gāozhōng méi kǎoshàng, xiànzài
工作。小 燕 高中 没 考上，现在
méiyǒu gōngzuò."
没有 工作。"

Zéyuán gēn mǔqin zài diànhuà li liáole
泽原 跟 母亲 在 电话 里 聊了
yíhuìr. Zéyuán duì Méimei shuō: "Míngtiān nǐ
一会儿。泽原 对 梅梅 说："明天 你

yě péipéi qīnqi ba . Qīnqi lái le , bù gēn
也陪陪亲戚吧。亲戚来了，不跟
tāmen jiànmiàn bù hǎo . ” Méimei shuō : “ Wǒ bú
他们见面不好。”梅梅说：“我不
qù . Wǒ míngtiān yǒu shìr , wǒ gēn rén yuēhǎo
去。我明天有事儿，我跟人约好
le . Nǐ zìjǐ de shìqing , nǐ zìjǐ péi . ”
了。你自己的事情，你自己陪。”
Méimei zhèyàng de rén hěn shǎo guānxīn biéren ,
梅梅这样的人很少关心别人，
yě bú yuànyi guānxīn biéren . Zéyuán hěn liǎojiě
也不愿意关心别人。泽原很了解
xiànzài de niánqīngrén .
现在的年轻人。

Dì-èr tiān shì xīngqītiān , tā
第二天是星期天，他
juédìng lǐngzhe èrjiù yì jiā qù Běijīng Dàxué .
决定领着二舅一家去北京大学。
Zǎoshang , tā wǎng jiǔdiàn dǎ diànhuà , èrjiù
早上，他往酒店打电话，二舅
de fángjiān méi rén jiē diànhuà , qítā liǎng gè
的房间没人接电话，其他两个
fángjiān yě méi rén . Zéyuán yǒudiǎn zháojí le ,
房间也没人。泽原有点着急了，
gǎnmáng dǎ sānsǎo de shǒujī . Sānsǎo jiēle
赶忙打三嫂的手机。三嫂接了
diànhuà , gàosu tā , tāmen zuówǎn méi zhù
电话，告诉他，他们昨晚没住
jiǔdiàn . Tāmen zhù zài jiǔdiàn fùjìn de yì jiā
酒店。他们住在酒店附近的一家

xiǎo lǚguǎn, nàli hěn piányi.
小旅馆，那里很便宜。

Zéyuán tīngwán, gǎnmáng shuō: "Nǐmen zài nàr děng wǒ, wǒ mǎshàng kāichē guòqu zhǎo nǐmen." Shuōwán tā jiù kāichē chūfā le.
泽原听完，赶忙说："你们在那儿等我，我马上开车过去找你们。"说完他就开车出发了。

Yóuyú shì xīngqītiān, lùshang chē shǎo, yí gè xiǎoshí yǐhòu, tā jiù dào le. Ránhòu tā gěi sānsǎo dǎ diànhuà, sānsǎo shuō bù qīngchu tāmen zhù de dìfang. Zéyuán zhǐhǎo ràng tā zài yì jiā dà fàndiàn ménkǒu děng tā. Zéyuán tínghǎo chē, kànjianle sānsǎo, jiù gēnzhe tā wǎng hútong li zǒu. Tā zhǎodàole èrjiù tāmen zhù de lǚdiàn, lǚdiàn yòu hēi yòu àn, qìwèi nán wén.
由于是星期天，路上车少，一个小时以后，他就到了。然后他给三嫂打电话，三嫂说不清楚他们住的地方。泽原只好让她在一家大饭店门口等他。泽原停好车，看见了三嫂，就跟着她往胡同[1]里走。他找到了二舅他们住的旅店，旅店又黑又暗，气味难闻。

Wūzi li hěn hēi, báitiān dōu yào kāizhe dēng. Zéyuán kànle yíxià fángjiān, fángjiān li yǒu sì zhāng shuāngcéngchuáng, zhù bā gè rén.
屋子里很黑，白天都要开着灯。泽原看了一下房间，房间里有四张双层床，住八个人。

1 **胡同**: hutong; alley
e.g. 北京的胡同很古老，游客们都喜欢参观北京的胡同。

Zhèli quèshí hěn piányi, yì zhāng chuángwèi měi
这里确实很便宜，一张床位每
tiān zhǐyào èrshí yuán, yǒu hěn duō rén lái
天只要二十元，有很多人来
zhèli zhù. Zéyuán kàndào zhèli tiáojiàn tài
这里住。泽原看到这里条件太
chà, duì èrjiù shuō: "Nín háishi gēn wǒ huí
差，对二舅说："您还是跟我回
jiǔdiàn qù ba." Èrjiù háishi chuānzhe nà jiàn
酒店去吧。"二舅还是穿着那件
bèixīn, xiàozhe duì Zéyuán shuō: "Zhèr tǐng hǎo
背心，笑着对泽原说："这儿挺好
de, jiùshì wǎnshang shuìshuì jiào. Lái Běijīng,
的，就是晚上睡睡觉。来北京，
ǎnmen jiùshì xiǎng dàochù kànkan, zài nǎr
俺们就是想到处看看，在哪儿
shuìjiào dōu yíyàng."
睡觉都一样。"

Zéyuán juéde èrjiù shuō de yě
泽原觉得二舅说得也
duì. Tā tūrán xiǎngqǐ tā gāng lái Běijīng de
对。他突然想起他刚来北京的
shíhou, tā de jiā hěn xiǎo, zhǐyǒu yì jiān
时候，他的家很小，只有一间
shíwǔ píngfāngmǐ de fángzi. Dāng tā de qīnqi
十五平方米的房子。当他的亲戚
péngyou lái Běijīng de shíhou, tā yě méiyǒu
朋友来北京的时候，他也没有
qián ràng qīnqi zhù jiǔdiàn, bīnguǎn. Dàjiā
钱让亲戚住酒店、宾馆。大家

dōu zài jiāli jǐzhe zhù, zài shāfā shàng,
都在家里挤着住，在沙发上、
dìshang shuìjiào. jiùshì zhèyàng de tiáojiàn,
地上睡觉。就是这样的条件，
dàjiā háishi hěn yúkuài.
大家还是很愉快。

Zéyuán lǐngzhe qīnqimen, jiàole yí
泽原领着亲戚们，叫了一
liàng chūzūchē, gàosu sījī gēnzhe tā de
辆出租车，告诉司机跟着他的
chē zǒu. Běijīng Dàxué zài Běijīng de xībian.
车走。北京大学在北京的西边。
Zhōumò hěn duō rén dōu xǐhuan dào Běijīng xībian
周末很多人都喜欢到北京西边
qù wánr, chē duō, qìchē zǒu de hěn màn.
去玩儿，车多，汽车走得很慢。
yí gè duō xiǎoshí yǐhòu, tāmen cái dào Běijīng
一个多小时以后，他们才到北京
Dàxué. Zéyuán bǎ chē tínghǎo, ránhòu lǐngzhe
大学。泽原把车停好，然后领着
tāmen zǒuxiàng Běijīng Dàxué xīmén. Dàole
他们走向北京大学西门。到了
dàménkǒu, bǎo'ān kànzhe qīnqimen, wèn zhè
大门口，保安[1]看着亲戚们，问这
wèn nà, bú ràng tāmen jìnqu. Zéyuán shuō
问那，不让他们进去。泽原说
tā lái kàn yí gè Běidà jiàoshòu. Bǎo'ān wèn
他来看一个北大教授。保安问
tā: " Nàxiē rén ne? " Zéyuán suíbiàn shuōle
他："那些人呢？"泽原随便说了

1 保安: entrance guard
e.g. 现在的住宅小区都有保安，很安全。

yí jù : " Tāmen shì gěi jiàoshòu jiā zhǎo de
一句："她们是给教授家找的
bǎomǔ . " Bǎo'ān kàndào hòumian yòu yǒuxiē
保姆[1]。"保安看到后面又有些
rén zǒu guòlai , jiù ràng tāmen jìnqu le .
人走过来，就让他们进去了。
Zéyuán huítóu yí kàn , sānsǎo hé Xiǎo Yàn yǒuxiē
泽原回头一看，三嫂和小燕有些
shēngqì , tāmen bù mǎnyì Zéyuán shuō tāmen shì
生气，她们不满意泽原说她们是
" bǎomǔ " . Zéyuán jiěshì shuō : " Wǒ bú nàme
"保姆"。泽原解释说："我不那么
shuō , tā jiù huì wèn hěn cháng shíjiān , bú ràng
说，他就会问很长时间，不让
jìnqu . "
进去。"

Tāmen zǒujìn Běidà xiàoyuán . Kàndào hú
他们走进北大校园。看到湖
zhōng de liánhuā , tīngdào chán míng , dàjiā
中的莲花[2]，听到蝉鸣[3]，大家
zhè cái wàngle gāngcái de bù yúkuài . Xiàoyuán
这才忘了刚才的不愉快。校园
li hěn ānjìng , sānsǎo xīngfèn de shuō : " Zhè
里很安静，三嫂兴奋地说："这
gā nǎ xiàng gè xuéxiào , zhè jiǎnzhí shì gè
旮[4]哪像个学校，这简直是个
huāyuán ! "
花园！"

Běidà xiàoyuán li de Wèimíng Hú ,
北大校园里的未名湖、

1 **保姆**: housemaid
e.g. 她的工作很忙，没时间干家务活，只好请保姆。
2 **莲花**: lotus flower
3 **蝉鸣**: cicada singing
4 **这旮**: (northern dialect) here

túshūguǎn , cāochǎng , píngguǒyuán , wǎngqiúchǎng
图书馆、操场、苹果园、网球场
děng ràng qīnqimen gǎndào fēicháng xīngfèn ,
等让亲戚们感到非常兴奋，
dànshì , Běijīng Dàxué de zhēnzhèng yìyì bú
但是，北京大学的真正意义不
shì yīnwèi xiàoyuán hěn dà , hěn měi . Zéyuán hěn
是因为校园很大、很美。泽原很
nán xiàng qīnqimen jiěshì qīngchu Běijīng Dàxué
难向亲戚们解释清楚北京大学
de jīngshén . Yílù shàng , tāmen kàndào gè
的精神[1]。一路上，他们看到各
zhǒng lǚyóutuán dōu lái cānguān Běidà de
种旅游团都来参观北大的
xiàoyuán , háiyǒu yìxiē dàren lǐngzhe háizimen
校园，还有一些大人领着孩子们
zài xiàoyuán li sànbù .
在校园里散步。

Běijīng Dàxué yǒu yìbǎi duō nián de
北京大学有一百多年的
lìshǐ . Běidà xiàoyuán yìbǎi nián lái méiyǒu
历史。北大校园一百年来没有
shénme gǎibiàn , biànhuà de shì zhèli de
什么改变，变化的是这里的
xuésheng . Xiàoyuán li de xuésheng yǒngyuǎn dōu shì
学生。校园里的学生永远都是
xīn de . Zài Wèimíng Hú pángbiān , zǒngshì yǒu
新的。在未名湖旁边，总是有
nán nǚ xuésheng zài tán liàn'ài . Wǎngqiúchǎng
男女学生在谈恋爱。网球场

1 **精神**: spirit
e.g. 人们既需要物质生活，也需要精神生活。

shàng yǒu xuésheng zài dǎ wǎngqiú . Túshūguǎn qián
上有学生在打网球。图书馆前
de cǎodì shàng , yǒu jǐ gè nán xuésheng zài
的草地上，有几个男学生在
yìbiān tán jítā yìbiān chàng gē . Tāmen chàng
一边弹吉他一边唱歌。他们唱
de shì Dāoláng de gē . Dāoláng de gē zài
的是刀郎的歌。刀郎的歌在
2004 nián li fēicháng liúxíng . Zéyuán kàndào
2004年里非常流行[1]。泽原看到
zhèxiē xuésheng , yòu xiǎngqǐle zìjǐ èrshí duō
这些学生，又想起了自己二十多
nián qián de dàxué shēnghuó .
年前的大学生活。

Zéyuán duì zhèli de yíqiè dōu
泽原对这里的一切都
gǎndào qīnqiè , tōngxiàng túshūguǎn , jiàoshì ,
感到亲切[2]，通向图书馆、教室、
shítáng , sùshè de měi yì tiáo xiǎo lù , dōu
食堂、宿舍的每一条小路，都
shì tā yǐqián zǒuguo de , tèbié shì tōngxiàng
是他以前走过的，特别是通向
nǚshēng sùshè de xiǎo lù . Tā kàndàole nǚshēng
女生宿舍的小路。他看到了女生
sùshèlóu de 309 hào fángjiān de chuānghu , nà
宿舍楼的309号房间的窗户，那
shì tā qiánqī zhùguo de fángjiān . Tā hǎoxiàng
是他前妻住过的房间。他好像
kàndàole tā de qiánqī , nà shíhou tā shì tā
看到了他的前妻，那时候她是他

1 **流行**: popular
e.g. 今年这首歌很流行，很多人都会唱。

2 **亲切**: warm; cordial
e.g. 他回到家乡，感到这里的一切都很亲切。

de nǚpéngyou . Tā xiǎngqǐle tài duō tài duō
的 女朋友。他 想起了 太 多 太 多
de shìqing . Tā tūrán gǎndào fēicháng jīdòng .
的 事情。他 突然 感到 非常 激动。
Tā gǎnmáng kànkan qīnqimen , hái hǎo tāmen
他 赶忙 看看 亲戚们，还 好 他们
méiyǒu zhùyì zìjǐ . Ránhòu tā yòu lǐngzhe
没有 注意 自己。然后 他 又 领着
dàjiā wǎng qián zǒu . Tāmen zǒudàole tā zhùguo
大家 往 前 走。他们 走到了 他 住过
de nánshēng sùshèlóu . Tā duì Lín Yàozōng shuō :
的 男生 宿舍楼。他 对 林 耀宗 说：
" Zhè gè 307 fángjiān shì wǒ yǐqián zhùguo
"这个 307 房间 是 我 以前 住过
de . "
的。"

Zéyuán kànchū Lín Yàozōng yě hěn jīdòng .
泽原 看出 林 耀宗 也 很 激动。
Tā jīdòng de kànzhe 307 chuāngkǒu . Jīntiān tā
他 激动 地 看着 307 窗口。今天 他
duì Běijīng Dàxué gèngjiā chóngbài le . Tā wèn
对 北京 大学 更加 崇拜 了。他 问
Zéyuán : " Shūshu , nǐ shì zěnme kǎoshàng Běidà
泽原："叔叔，你 是 怎么 考上 北大
de ? " Zěnme kǎoshàng de ? Zéyuán xiǎng , nà
的？" 怎么 考上 的？泽原 想，那
shì kào tā de qīngchūn lǐxiǎng , tā de nǔlì ,
是 靠 他 的 青春 理想，他 的 努力，
tā de jìnqǔ jīngshen .
他 的 进取 精神[1]。

1 **进取精神**: enterprising spirit; ambitiousness
e.g. 一个大学生应该有一种进取精神。

Tāmen cóng Běidà chūlai, láidào
他们从北大出来，来到
fànguǎn li chī wǔfàn. Chī fàn de shíhou, liǎng
饭馆里吃午饭。吃饭的时候，两
gè háizi de huà hěn shǎo. Lín Yàozōng liǎnsè
个孩子的话很少。林耀宗脸色
hónghóng de, Xiǎo Yàn hǎoxiàng yě zài xiǎngzhe
红红的，小燕好像也在想着
shénme. Gāngcái zài xiàoyuán li, kàndào Běidà
什么。刚才在校园里，看到北大
nǚshēng zǒuguò shēnpáng shí, Xiǎo Yàn yìzhí kànzhe
女生走过身旁时，小燕一直看着
tāmen. Suīrán zhèxiē nǚxuésheng liǎnshang bú
她们。虽然这些女学生脸上不
huàzhuāng, dànshì, Běidà nǚshēng yǒu yì zhǒng
化妆，但是，北大女生有一种
tèyǒu de qìzhì.
特有的气质[1]。

Sānsǎo yìbiān chī fàn yìbiān shuō: "Yàoshì
三嫂一边吃饭一边说："要是
zán jiā Lín Yàozōng kǎojìnle Běidà, nà zhēnshì
咱家林耀宗考进了北大，那真是
shāo gāoxiāng le a." Tā shuō de Lín Yàozōng
烧高香[2]了啊。"她说得林耀宗
liǎn gèng hóng le.
脸更红了。

Yóulǎn Běidà ràng dàjiā gǎndào
游览北大让大家感到
yúkuài. Zéyuán kàn hái yǒu shíjiān, jiù lǐng
愉快。泽原看还有时间，就领

1 **气质**: disposition; temperament
e.g. 这个女孩没有化妆，也没有穿漂亮的衣服，但是她的气质很好。

2 **烧高香**: burn tall incense. The sentence implies that if Lin Yaozong enters Peking University, it is by Buddha's blessing.

tāmen qù Yíhé Yuán. Zéyuán yòu jiàole yí
他们去颐和园。泽原又叫了一
liàng chūzūchē, tāmen wǎng Yíhé Yuán zǒu
辆出租车，他们往颐和园走
qù. Lùshang chē hěn duō, qù Yíhé Yuán de
去。路上车很多，去颐和园的
rén fēicháng duō. Děng tāmen dàole Yíhé Yuán,
人非常多。等他们到了颐和园，
méiyǒu tíngchē de dìfang le. Méi bànfǎ,
没有停车的地方了。没办法，
tāmen zhǐhǎo bú jìn Yíhé Yuán le. Kěshì
他们只好不进颐和园了。可是
shíjiān hái zǎo, hái bú dào sān diǎnzhōng. Zéyuán
时间还早，还不到三点钟。泽原
xiǎngle xiǎng, Yuánmíng Yuán de tíngchēchǎng yào dà
想了想，圆明园的停车场要大
yìxiē, jiù lǐng tāmen qù Yuánmíng Yuán le.
一些，就领他们去圆明园了。

Yuánmíng Yuán de yóukè quèshí shǎo yìxiē.
圆明园的游客确实少一些。
Shàngwǔ hái yǒudiǎn fēng, dàole xiàwǔ, tiānqì
上午还有点风，到了下午，天气
mēnrè. Dàjiā dōu bù tíng de chū hàn. Zéyuán
闷热。大家都不停地出汗。泽原
bǎ bāo li de zhǐjīn ná chūlai, gěi dàjiā
把包里的纸巾拿出来，给大家
cā hàn. Zhǐjīn bú gòu le, tā yòu mǎile
擦汗。纸巾不够了，他又买了
jǐ bāo. Zài Běidà xiàoyuán li kànle lǜshù,
几包。在北大校园里看了绿树、

húshuǐ , suǒyǐ Yuánmíng Yuán de lǜ shù ,
湖水，所以圆明园的绿树、
húshuǐ jiù méi shénme yìsi le . Tiānqì tài
湖水就没什么意思了。天气太
rè le , Zéyuán pà lǎorén zhòngshǔ , gǎnmáng
热了，泽原怕老人中暑[1]，赶忙
lǐng dàjiā zǒudào Yuánmíng Yuán de Xīyáng Lóu ,
领大家走到圆明园的西洋楼，
zhàole xiàng , kànle jǐ gè jǐngdiǎn , jiù lǐng
照了相，看了几个景点，就领
tāmen wǎng huí zǒu le .
他们往回走了。

Shíjiān guò de hěn màn , tāmen hái yǒu
时间过得很慢，他们还有
hěn duō shíjiān . Zéyuán xiǎng lǐng tāmen qù chī
很多时间。泽原想领他们去吃
Běijīng kǎoyā . Jìrán sānsǎo tí chūlai le ,
北京烤鸭。既然三嫂提出来了，
jiù qǐng dàjiā chī ba .
就请大家吃吧。

Zéyuán méi xiǎngdào , sānsǎo tūrán shuō :
泽原没想到，三嫂突然说：
" Zéyuán , zhè gā lí nǐ jiā bù yuǎn le ba ?
"泽原，这旮离你家不远了吧？
Lǐng ǎnmen shàng nǐ jiā zuòzuò . Lái yí cì
领俺们上你家坐坐。来一次
ǎnmen hái méi kànjian nǐ xífu ne . " Dōngběi
俺们还没看见你媳妇[2]呢。"东北
de qīnqimen juéde tā yìnggāi qǐng kèrenmen
的亲戚们觉得他应该请客人们

1 **中暑：** suffer sunstroke
2 **媳妇：** wife
**儿媳妇：** son's wife; daughter-in-law. Here it refers to Zeyuan's wife, Meimei.

dào jiāli zuòkè. Rán'ér, xiànzài de dà
到家里做客。然而，现在的大
chéngshì, rénqíng lěngmò, yìbān dōu bú zài
城市，人情冷漠[1]，一般都不在
jiā jiēdài kèren. Rúguǒ zhǔrén bù yāoqǐng,
家接待客人。如果主人不邀请[2]，
kèren shì bù néng tíchū dào zhǔrén jiāli qù
客人是不能提出到主人家里去
de. Zéyuán yě kěyǐ shuō, tā jiā lí zhè
的。泽原也可以说，他家离这
yuǎn, bù fāngbiàn, jùjué sānsǎo de yāoqiú.
远，不方便，拒绝三嫂的要求。
Dànshì tā méiyǒu shuō "bù". Bùzhī wèi
但是他没有说“不”。不知为
shénme, tā dāyingle tāmen. Bú ràng
什么，他答应了他们。不让
qīnqimen dào jiāli zuò, yěxǔ tā pà
亲戚们到家里坐，也许他怕
qīnqimen duì tā bù mǎnyì, huòzhě shì pà
亲戚们对他不满意，或者是怕
mǔqin duì tā bù mǎnyì.
母亲对他不满意。

Zéyuán méi bànfǎ, lǐngzhe dàjiā
泽原没办法，领着大家
dào jiāli qù ba. Zéyuán zài qiánmian kāichē,
到家里去吧。泽原在前面开车，
hòumian gēnzhe chūzūchē, cháo jiāli zǒu qù.
后面跟着出租车，朝家里走去。
Tā gěi Méimei dǎle yí gè diànhuà, shuō
他给梅梅打了一个电话，说

1 冷漠: cold and indifferent
e.g. 别人跟他打招呼，他好像没听见，态度非常冷漠。

2 邀请: to invite
e.g. 他热情地邀请朋友们来家里吃晚饭。

qīnqimen yào dào jiāli kànkan , wèn tā néng
亲戚们要到家里看看，问她能
bù néng gǎn huílai . Méimei bù gāoxìng de shuō :
不能赶回来。梅梅不高兴地说：
" Tāmen yào qù jiù qù ba . Wǒ bù huíqu ,
"他们要去就去吧。我不回去，
wǒ zhèngzài zuò měiróng ne . " Zéyuán shuō :
我正在做美容[1]呢。"泽原说：
" Hǎo ba , wǒ xiān lǐngzhe tāmen dào jiā kànkan ,
"好吧，我先领着他们到家看看，
ránhòu zài fùjìn de fàndiàn chī fàn . " Méimei
然后在附近的饭店吃饭。"梅梅
shuō : " Nǐ kànzhe bàn ba . Guìzi dǐxia yǒu
说："你看着办吧。柜子底下有
tuōxié , nǐmen bié bǎ dìbǎn nòngzāng le . "
拖鞋[2]，你们别把地板弄脏了。"

Zéyuán dǎwán diànhuà , xīnli hěn bù
泽原打完电话，心里很不
yúkuài , dànshì háishi xiàozhe gēn èrjiù hé jiùmā
愉快，但是还是笑着跟二舅和舅妈
shuōhuà . Zéyuán de jiā zài " Míngrén Jiāyuán "
说话。泽原的家在"名人家园"
zhùzhái xiǎoqū li . Xiǎoqū li dàochù shì shùmù
住宅小区[3]里。小区里到处是树木
huācǎo , xiǎo lóu yí zuò jiēzhe yí zuò , fēicháng
花草，小楼一座接着一座，非常
piàoliang . Qīnqimen bù tíng de jīngtàn . Zéyuán
漂亮。亲戚们不停地惊叹[4]。泽原
lǐng tāmen jìnle lóu , jìnle tā de dà fángzi
领他们进了楼，进了他的大房子

1 **美容**: beauty therapy
e.g. 她经常做美容，看上去很年轻，其实她已经五十多岁了。
2 **拖鞋**: slipper
3 **住宅小区**: residential community
e.g. 现在新的住宅小区都很漂亮。
4 **惊叹**: to exclaim

li . Tā bǎ dēng dōu dǎkāi le , fángjiān li
里。他把灯都打开了，房间里
yíxiàzi liàngle qǐlai , tāmen hǎoxiàng zhàn zài
一下子亮了起来，他们好像站在
yí gè wǔtái shàng , bù néng zuò , bù néng
一个舞台[1]上，不能坐，不能
zhàn . Fángzi li yǒu diāohuā de lóutī , piàoliang
站。房子里有雕花的楼梯、漂亮
de huāmù . Qīnqimen yí cì yòu yí cì de
的花木。亲戚们一次又一次地
jīngtàn . Nǚrénmen gēnzhe sānsǎo dàochù kàn .
惊叹。女人们跟着三嫂到处看。
Tāmen kànle tā hé Méimei de jiéhūn zhàopiàn ,
他们看了他和梅梅的结婚照片，
hái yǒu Méimei de yìshù zhàopiàn . Tāmen shuō :
还有梅梅的艺术照片。她们说：
" Nǐ xífu zhēn niánqīng , zhēn piàoliang ! "
“你媳妇真年轻，真漂亮！”

Zéyuán gǎndào xīnli měiměi de . Zhè
泽原感到心里美美的。这
shí tā cái míngbai le , tā ràng qīnqimen lái
时他才明白了，他让亲戚们来
jiāli kànkan , jiùshì xiǎng tīngdào tāmen de
家里看看，就是想听到他们的
chēngzàn . Tā xiànzài guò de shì báilǐng shēnghuó ,
称赞。他现在过的是白领生活，
tā zài qīnqi miànqián yǒu yì zhǒng yōuyuègǎn .
他在亲戚面前有一种优越感[2]。
Xiànzài Běijīng dàochù dōu shì yǒuqiánrén , dàochù
现在北京到处都是有钱人，到处

1 **舞台**: stage
2 **优越感**: superiority
e.g. 他父亲是一个大干部，他在同学面前有一种优越感，同学们都不喜欢他。

dōu shì guānyuán . Kěshì tā yǐjīng sìshí duō
都是官员[1]。可是他已经四十多
suì le , hái shì yí gè chùzhǎng , ér yǒude
岁了，还是一个处长，而有的
niánqīngrén bǐ tā tíshēng de kuài , zhèxiē shǐ tā
年轻人比他提升得快，这些使他
hěn shǎo yǒu yōuyuègǎn . Zhǐyǒu zài Dōngběi qīnqi
很少有优越感。只有在东北亲戚
de yǎnli , tā cái shì Běidà de xuésheng ,
的眼里，他才是北大的学生、
guójiā de guānyuán , yǒu qìchē , yǒu dà fángzi ,
国家的官员，有汽车，有大房子，
yǒu yí gè érzi chūguó liúxué , líguo hūn ,
有一个儿子出国留学，离过婚，
xiànzài yòu yǒu yí gè niánqīng , piàoliang de
现在又有一个年轻、漂亮的
qīzi děngděng . Qīnqimen de chēngzàn ràng tā
妻子等等。亲戚们的称赞让他
gǎndào hěn shūfu .
感到很舒服。

Zéyuán péi dàjiā xià lóu , dào fànguǎn chī
泽原陪大家下楼，到饭馆吃
fàn , ránhòu yòu kāichē bǎ tāmen sònghuí
饭，然后又开车把他们送回
chéngli , hěn wǎn tā cái huí jiā . Tā xīngqīyī
城里，很晚他才回家。他星期一
yào shàngbān , bù néng lǐng tāmen yóulǎn le .
要上班，不能领他们游览了。
Èrjiù shuō tāmen xiǎng qù Chángchéng . Zéyuán
二舅说他们想去长城。泽原

1 官员：official

gàosu Lín Yàozōng zhàogu hǎo dàjiā , wǎnshang
告诉林耀宗照顾好大家，晚上
xiàbān yǐhòu , tā qù jiē tāmen yìqǐ chī
下班以后，他去接他们一起吃
fàn . Èrjiù shuō búyòng le , tāmen zìjǐ
饭。二舅说不用了，他们自己
chī . Zéyuán shuō yídìng děng tā yìqǐ chī
吃。泽原说一定等他一起吃
wǎnfàn .
晚饭。

Xīngqīyī , Zéyuán shàngbān mángle yì
星期一，泽原上班忙了一
tiān . Xiàbān yǐhòu , Zéyuán dào xiǎo lǚguǎn kàn
天。下班以后，泽原到小旅馆看
tāmen , Zéyuán wèn tāmen wánr de zěnmeyàng ,
他们，泽原问他们玩儿得怎么样，
sānsǎo mǎshàng huídá shuō : " Wǒmen bèi piàn
三嫂马上回答说："我们被骗[1]
le , zuòle hēichē . Shuōhǎo qù Bādá Lǐng
了，坐了黑车[2]。说好去八达岭[3]
hé Shísān Líng , jiéguǒ Bādá Lǐng méi qù ,
和十三陵[4]，结果八达岭没去，
Shísān Líng kànle yí gè líng jiù huílai le . "
十三陵看了一个陵就回来了。"
Zéyuán yǐqián zài bàozhǐ shàng kàndàoguo " Běijīng
泽原以前在报纸上看到过"北京
yí rì yóu " de hēichē piàn yóukè , méi xiǎngdào
一日游"的黑车骗游客，没想到
xiànzài háishi nàyàng . Tā xīnli gǎndào yǒudiǎn
现在还是那样。他心里感到有点

1 骗: to cheat
e.g. 他花了很多钱买了这张画，结果这张画是假的，他被骗了。
2 黑车: an illegal or unregistered taxi or tourist bus
3 八达岭: Badaling, a popular tourist destination, a section of the Great Wall
4 十三陵: Tombs of the 13 Ming emperors

bàoqiàn . Zéyuán shuō: " Dàjiā méi chū wèntí ,
抱歉[1]。泽原说："大家没出问题，
huílai jiù hǎo . " Ránhòu tā bǎ huǒchēpiào
回来就好。"然后他把火车票
gěi tāmen . Chēpiào shì míngtiān wǎnshang de
给他们。车票是明天晚上的
wòpùpiào , hǎobùróngyì tā cái mǎidào liù
卧铺票[2]，好不容易他才买到六
zhāng wòpùpiào . Lǚyóu wàngjì , piào hěn nán
张卧铺票。旅游旺季，票很难
mǎi . Tāmen lái de shíhou , zhǐ mǎidào liǎng
买。他们来的时候，只买到两
zhāng wòpùpiào , tāmen shì huànzhe shuìjiào de .
张卧铺票，他们是换着睡觉的。

Èrjiù yào gěi Zéyuán qián , Zéyuán bú
二舅要给泽原钱，泽原不
yào , shuō zhè shì tā jìn de xiàoxīn . Zéyuán
要，说这是他尽的孝心[3]。泽原
yòu shuō: " Míngtiān báitiān nǐmen kěyǐ shàngjiē
又说："明天白天你们可以上街
kànkan , mǎimǎi dōngxi . Lèi le , wǎnshang dào
看看，买买东西。累了，晚上到
huǒchē shàng shuìjiào , zǎoshang jiù dào jiā le . "
火车上睡觉，早上就到家了。"

Zéyuán yòu lǐngzhe tāmen qù chīle Běijīng
泽原又领着他们去吃了北京
kǎoyā . Chīguo fàn , Zéyuán sòng tāmen
烤鸭。吃过饭，泽原送他们
huídàole xiǎo lǚdiàn . Zéyuán huídào jiā yǐjīng
回到了小旅店。泽原回到家已经

1 **抱歉**: sorry
e.g. 很抱歉，我来晚了。

2 **卧铺票**: sleeping-berth ticket
e.g. 我买了两张卧铺票，一张上铺和一张下铺。

3 **孝心**: filial piety
e.g. 他母亲年纪大了，他把母亲接到了自己的家里，照顾母亲，尽尽孝心。

wǎnshang shíyī diǎn le. Tā gānggāng tǎngxià,
晚上十一点了。他刚刚躺下，
sānsǎo jiù lái diànhuà le, shuō: "Zéyuán, nà
三嫂就来电话了，说："泽原，那
shénme, ǎnmen míngtiān yìzǎo jiù zǒu." Zéyuán
什么，俺们明天一早就走。"泽原
yì tīng, mǎshàng cóng chuángshang zuò qǐlai.
一听，马上从床上坐起来。
Sānsǎo shuō: "Ǎnmen kàndào huǒchēzhàn yǒu dà
三嫂说："俺们看到火车站有大
kèchē, yí gè báitiān jiù dào. Ǎn diē xiǎng
客车[1]，一个白天就到。俺爹[2]想
kuài diǎn huíqu, jiù bǎ huǒchēpiào mài le,
快点回去，就把火车票卖了，
mǎile dà kèchē de piào." Zéyuán hái méi
买了大客车的票。"泽原还没
shuōhuà, èrjiù jiù bǎ diànhuà jiē guòqu shuō:
说话，二舅就把电话接过去说：
"Zéyuán a, wǒmen yǐjīng gěi nǐ tiānle
"泽原啊，我们已经给你添了
bùshǎo máfan le, jiù bù duō dāi yì tiān
不少麻烦了，就不多待一天
le……"
了……"

Zéyuán xīnli jiàokǔ: hái bù tiān máfan,
泽原心里叫苦：还不添麻烦，
ānpái hǎo de shìqing, zǒngshì gǎibiàn. Tā
安排好的事情，总是改变。他
rěnzhe, bù shēngqì, kǔxiàozhe duì èrjiù shuō:
忍着，不生气，苦笑着对二舅说：

1 **大客车：** coach; bus
2 **爹：** (dialect) father. Here it refers to Zeyuan's second uncle.

“ Nǐmen yào zuò yì zhěngtiān de chē, ránhòu
“你们要坐一整天的车，然后
háiyào huàn qìchē, nǐ hé jiùmā de shēntǐ
还要换汽车，你和舅妈的身体
néng xíng ma?”
能行吗？”

Èrjiù shuō: “Xíng xíng. Zǎ bù xíng ne.”
二舅说：“行行。咋不行呢。”

Zéyuán wèn: “Wòpùpiào yǐjīng tuì le,
泽原问：“卧铺票已经退了，
shì ma?”
是吗？”

Èrjiù shuō: “Méi tuì, ǎnmen wǎng nà
二舅说：“没退，俺们往那
gā yí zhàn, jiù yǒurén lái mǎi, ǎnmen jiù
旮一站，就有人来买，俺们就
mài le.”
卖了。”

Zéyuán yòu wèn: “Míngtiān jǐ diǎn fāchē?”
泽原又问：“明天几点发车？”

Èrjiù shuō: “Zǎoshang qī diǎn bàn.”
二舅说：“早上七点半。”

Zéyuán shuō: “Zhèyàng ba, míngtiān yìzǎo
泽原说：“这样吧，明天一早
wǒ qù sòng nǐmen.”
我去送你们。”

Èrjiù shuō: “Nǐ bié lái le, háizimen
二舅说：“你别来了，孩子们
yào qù Tiān'ān Mén Guǎngchǎng kàn shēngqí.
要去天安门广场看升旗[1]。

1 **升旗**: flag-raising
e.g. 很多去北京旅游的人都要看看升旗仪式。

Wǒmen kànwán shēngqí, chī diǎn fàn jiù zuò chē
我们看完升旗，吃点饭就坐车
zǒu le."
走了。”

Zéyuán bú yuànyi zài diànhuà li zài shuō
泽原不愿意在电话里再说
shénme, jiù shuō: "Zhèmezhe ba, míngtiān nín
什么，就说：“这么着吧，明天您
ràng sānsǎo de shǒujī kāizhe, dào shí wǒ gěi
让三嫂的手机开着，到时我给
tā dǎ diànhuà."
她打电话。”

Fàngxià diànhuà, Zéyuán hěn shēngqì, tā
放下电话，泽原很生气，他
bèi qì de yìdiǎn yě bú kùn le. Méimei zài
被气得一点也不困了。梅梅在
yìpáng bù mǎnyì de shuō: "Kànkan nǐ jiā rén,
一旁不满意地说：“看看你家人，
dōu shì shénme rén! Wèile diǎn qián, zhù nàme
都是什么人！为了点钱，住那么
pò de lǚguǎn. Gěi tāmen mǎihǎole huǒchē
破的旅馆。给他们买好了火车
wòpùpiào, yòu bú ràng tāmen chū qián, hái
卧铺票，又不让他们出钱，还
mài le. Mǎi piào duō nán a! Jiù wèi shěng nà
卖了。买票多难啊！就为省那
liùqī-bǎi kuài qián! Zhèyàng dào hǎo, tāmen lái
六七百块钱！这样倒好，他们来
Běijīng lǚyóu, méi huā qián, hái zhuàn qián
北京旅游，没花钱，还赚钱[1]

1 **赚钱**: make money
e.g. 他在北京打了几年工，赚了一些钱。

le …… ”
了……”

Zéyuán shēngqì de shuō: “Nǐ bì zuǐ,
泽原生气地说：“你闭嘴[1]，

xíngbuxíng? Nàme súqì!”
行不行？那么俗气！”

Zéyuán zhōngyú rěnbuzhù le, hěnhěn de
泽原终于忍不住了，狠狠地

shuōle tā liǎng jù. Zhè jǐ tiān, wèi jiēdài
说了她两句。这几天，为接待

zhè yì jiā rén, tā yìzhí rěnzhe. Kěshì
这一家人，他一直忍着。可是

zhèxiē nóngcūn qīnqi, zǒngshì xiǎng zuò shénme
这些农村亲戚，总是想做什么

jiù zuò shénme, yìdiǎn bú wèi biéren xiǎng.
就做什么，一点不为别人想。

Méimei zhè zhǒng rén jiù zhǐshì wèi zìjǐ.
梅梅这种人就只是为自己。

Zhèxiē qīnqi yě gēn Méimei chàbuduō? Suàn
这些亲戚也跟梅梅差不多？算

le, tāmen yào zǒu jiù zǒu ba.
了，他们要走就走吧。

Zhè yí yè, tā shuì de bù hǎo. Tā
这一夜，他睡得不好。他

xīnli yì jǐnzhāng jiù shuìbuzháo le. Hòulái tā
心里一紧张就睡不着了。后来他

qǐchuáng jìnle shūfáng, zhǎodào bàozhǐ, kàndào
起床进了书房，找到报纸，看到

míngtiān de shēngqí shíjiān shì wǔ diǎn shíyī
明天的升旗时间是五点十一

1 闭嘴：shut up

fēn . Tàiyáng shēngqǐ de zhème zǎo ma ? Tā
分。太阳 升起 得 这么 早 吗？他
xiǎngqǐ zìjǐ yǒu èrshí nián méi kàn shēngqí le .
想起 自己 有 二十 年 没 看 升旗 了。
Tā gāng lái Běijīng de shíhou , gēn jǐ gè
他 刚 来 北京 的 时候，跟 几 个
dàxué tóngxué , qízhe zìxíngchē yídàzǎo qù
大学 同学，骑着 自行车 一大早 去
kàn shēngqí . Nà zhǒng jīnglì ràng rén nánwàng .
看 升旗。那 种 经历 让 人 难忘。

Zǎochen sì diǎnzhōng , Zéyuán chuānhǎo yīfu ,
早晨 四 点钟，泽原 穿好 衣服，
chūle mén , kāizhe chē cháo Tiān'ān Mén fāngxiàng
出了 门，开着 车 朝 天安 门 方向
zǒu qù . Zhěnggè de Běijīng hái zài chénshuì ,
走 去。整个 的 北京 还 在 沉睡[1]，
dàochù dōu hěn ānjìng . Jiēdào , lìjiāoqiáo ,
到处 都 很 安静。街道、立交桥[2]、
fángwū , jiēdào liǎngpáng de lùshù dōu hǎoxiàng shì
房屋、街道 两旁 的 绿树 都 好像 是
yì fúfú měilì de huà . Zéyuán gǎndào , huàn
一 幅幅 美丽 的 画。泽原 感到，换
yí gè shíjiān , Běijīng shì zhème měilì !
一 个 时间，北京 是 这么 美丽！

Wǔ diǎnzhōng de shíhou , Zéyuán bǎ
五 点钟 的 时候，泽原 把
qìchē tíngdào dānwèi de yuànzi li , ránhòu
汽车 停到 单位 的 院子 里，然后
zuò gōnggòng qìchē qù Tiān'ān Mén Guǎngchǎng .
坐 公共 汽车 去 天安 门 广场。

1 沉睡：sleep deeply
2 立交桥：flyover

Zéyuán gǎndào guǎngchǎng, lí shēngqí hái yǒu sān
泽原赶到广场，离升旗还有三
fēnzhōng, zhèli yǐjīng yǒu jǐqiān rén děngzhe
分钟，这里已经有几千人等着
kàn shēngqí. Zéyuán zài rénqún li zhǎo èrjiù
看升旗。泽原在人群里找二舅
yì jiā, dànshì bù hǎo zhǎo. Jǐqiān rén dōu
一家，但是不好找。几千人都
jìngjìng de děngzhe shēngqí de shíkè, Zéyuán yě
静静地等着升旗的时刻，泽原也
tíngzhù le. Wǔ diǎn shíyī fēn de shíhou, yì
停住了。五点十一分的时候，一
lún hóngrì mànmàn shēngqǐ, guǎngchǎng xiáguāng wàn
轮红日慢慢升起，广场霞光万
zhàng. Zài guógē shēng zhōng, yí miàn Wǔxīng
丈[1]。在国歌声中，一面五星
Hóngqí mànmàn shēngqǐ. Guǎngchǎng shàng de
红旗[2]慢慢升起。广场上的
rénmen jìngjìng de zhùshìzhe guóqí.
人们静静地注视[3]着国旗。

Zéyuán zài rénqún zhōng kàndàole èrjiù
泽原在人群中看到了二舅
yì jiā zhùshìzhe mànmàn shēngqǐ de hóngqí. Zài
一家注视着慢慢升起的红旗。在
chénguāng zhōng, Zéyuán kànjian èrjiù de shēnpáng
晨光中，泽原看见二舅的身旁
zhànzhe Lín Yàozōng. Lín Yàozōng kànshàngqu fēicháng
站着林耀宗。林耀宗看上去非常
jīdòng. Zéyuán cóng Lín Yàozōng de mùguāng
激动。泽原从林耀宗的目光

1 **霞光万丈**: Rays of morning sun are in full splendor.

2 **五星红旗**: The Five-Star Red Flag is the national flag of China.

3 **注视**: look attentively at; to gaze

e.g. 人们都在注视着大钟，等待着新年的到来！

e.g. 他站在山顶，注视着远方。

li, hǎoxiàng chóngxīn kànjianle Běijīng. Zhè shì
里，好像重新看见了北京。这是
xǔxǔduōduō wàishěng qīngnián suǒ jìngyǎng de
许许多多外省青年所敬仰[1]的
Běijīng. Tàiyáng měi tiān dōu shì xīn de.
北京。太阳每天都是新的。

Zéyuán zài xīnli qīngqīng de shuōle yì
泽原在心里轻轻地说了一
shēng: Zǎo'ān, Běijīng! Tā hǎoxiàng shì yào
声：早安，北京！他好像是要
huànxǐng tā zìjǐ.
唤醒[2]他自己。

1 **敬仰**: to admire
e.g. 他是人们敬仰的科学家。
2 **唤醒**: to awaken

This story is an abridged version of Xu Kun's short story *Good Morning, Beijing*, which was published on *Fiction Monthly* (小说月报), No.1, 2005.

## About the author Xu Kun (徐坤):

Xun Kun is one of the most noteworthy contemporary writers of China. She was born in 1965, in Shenyang. She has earned a PhD in literature and is an associate researcher at the China Academy of Social Sciences and a member of the China Writers' Association. She began to publish her novels in 1993 and is prolific. Her works total about three million characters. Her representative works are 白话，厨房，狗日的足球，春天的二十二个夜晚，etc. She has won many literature awards and prizes abroad and at home. She won the first Literature Prize of Feng Mu (冯牧文学奖), the second Literature Prize of Lu Xun (鲁迅文学奖) and the seventh and eighth Baihua awards of *Fiction Monthly* (小说月报) etc.

## 思考题：

1. 为什么人们喜欢到北京旅游、工作、学习？
2. 母亲给泽原打电话让他接待二舅一家来北京旅游，他为什么没有拒绝？
3. 泽原的二舅为什么来北京旅游？
4. 泽原在北京生活了二十多年，他的生活有了哪些改变？
5. 泽原觉得他现在的生活怎么样？
6. 你觉得城里人和农村人有哪些方面不同？
7. 二舅是一个典型的农民形象，他有哪些特点？
8. 你觉得东北话有意思吗？你能学一点吗？

# Wǔ , Bīngxuě Měirén
# 五、冰雪美人

Yuánzhù : Mò Yán
原著：莫言

# 五、冰雪美人

## Guide to reading:

This story happens in a small town called Baimazhen (白马镇). In the story, there is a girl Meng Xixi who is beautiful and likes to dress herself up. A teacher at her high school often chastises her for her behavior. Meng Xixi has to leave school and helps her mother run a fish-head restaurant. The town people feel that Meng Xixi has some moral problems and she is often hurt by rumors and gossips. Meng Xixi becomes ill and goes to the clinic which is run by the narrator's uncle. The doctor does not notice that Meng Xixi needs help immediately as she is waiting silently and he instead sees two other patients first. "I", the narrator in the story, loves Meng Xixi in secret and shows great sympathy for her tragic experiences.

## 故事正文：

Wǒmen de zhèn jiào Báimǎ Zhèn, hěn
我们的镇叫白马镇，很
piānyuǎn, lí chéngshì yǒu yìbǎi duō gōnglǐ.
偏远[1]，离城市有一百多公里。
Zhè dìfang suīrán piānyuǎn, dàn fēngjǐng búcuò,
这地方虽然偏远，但风景不错，
méiyǒu gōngyè, kōngqì qīngxīn. Zuìjìn zhèxiē
没有工业，空气清新。最近这些
nián yǐlái, zhèli yě kāishǐ fāzhǎn
年以来，这里也开始发展
lǚyóuyè. Rénmen chūntiān lái kàn huā, xiàtiān
旅游业。人们春天来看花，夏天
lái diào yú, qiūtiān lái kàn hóngyè, dōngtiān lái
来钓鱼，秋天来看红叶，冬天来
shān li huáxuě. Zhènshang yǔ Xiānggǎng yì jiā
山里滑雪。镇上与香港[2]一家
gōngsī hézī xiūjiànle yí gè hěn dà de
公司合资[3]修建了一个很大的
huáxuěchǎng.
滑雪场。

Wǒ gāozhōng bìyè de shíhou méiyǒu
我高中毕业的时候没有
kǎoshàng dàxué, jiù dāi zài jiāli, méiyǒu
考上大学，就待在家里，没有
shìqing zuò, zhěngtiān hé zhènshang de yìxiē
事情做，整天和镇上的一些
háizi guǐhùn. Wǒ bàba hěn zháojí, pà
孩子鬼混[4]。我爸爸很着急，怕

1 **偏远**: remote; faraway
e.g. 他的家在偏远的山区，那里的风景很美。

2 **香港**: Hong Kong

3 **合资**: joint venture
e.g. 他在一家合资企业工作，他的工资很高。

4 **鬼混**: to dawdle
e.g. 他不喜欢学习，也不喜欢工作，整天鬼混，他父母很着急。

wǒ xuéhuài le, jiù xiǎng gěi wǒ zhǎo gè shìqing zuò.
我学坏了，就想给我找个事情做。

Wǒ bàba de dìdi shì zhènshang de dàifu, wǒ jiào tā shūshu. Tā yǐqián zài shìli de yì jiā yīyuàn gōngzuò. Xiànzài tā tuìxiū le, zài zhènshang kāile yì jiā xiǎo yīyuàn. Wǒ bàba ràng wǒ dào tā nàli xué yī.
我爸爸的弟弟是镇上的大夫，我叫他叔叔。他以前在市里的一家医院工作。现在他退休了，在镇上开了一家小医院。我爸爸让我到他那里学医。

Bàba bǎ wǒ sòngdào shūshu yīyuàn de nà tiān, shūshu zhèngzài gēn wǒ de shěnshen chǎojià. Tāmen kàndào wǒmen jìnlai le, wǒ shěnshen kūzhe zǒujìn lǐwū qù le, fángmén zài tā shēnhòu xiǎngle yì shēng. Wǒ xīnli gǎndào yǒudiǎn hàipà, wǒ juéde tāmen chǎojià gēn wǒ yǒu guānxi. Shěnshen kěnéng bù xǐhuan
那天，叔叔正在跟我的婶婶[1]吵架[2]。他们看到我们进来了，我婶婶哭着走进里屋去了，房门在她身后响了一声。我心里感到有点害怕，我觉得他们吵架跟我有关系。婶婶可能不喜欢

1 **婶婶**: uncle's wife; aunt
2 **吵架**: to quarrel
e.g. 他和老板吵架了，然后他辞去了工作。

wǒ lái xué yī .
我来学医。

Shūshu kànle wǒ yì yǎn, méi shuōhuà.
叔叔看了我一眼，没说话。
Tā zuò zài yì bǎ yǐzi shàng, cóng kǒudai
他坐在一把椅子上，从口袋
li náchū yān. Yān bú tài hǎo, tā náchū yì
里拿出烟。烟不太好，他拿出一
zhī yān, diǎnshàng huǒ, xīle qǐlai. Shūshu
支烟，点上火，吸了起来。叔叔
xīyān xī de hěn duō, bǎ tā de shǒuzhǐ dōu
吸烟吸得很多，把他的手指都
xīchéngle hēi-huángsè.
吸成了黑黄色。

Bàba náchū shí gè xiándàn, fàng zài
爸爸拿出十个咸蛋[1]，放在
zhuōzi shàng, shuō: "Zhè shì nǐ sǎozi zuò
桌子上，说："这是你嫂子做
de, nǐmen chángcháng."
的，你们尝尝。"

Shūshu shuō: "Zìjǐ jiā rén, hái yòng
叔叔说："自己家人，还用
kèqi?" Tā de liǎnsè hǎoxiē le.
客气？"他的脸色好些了。
Tā náchū yì zhī yān, rēnggěi fùqin.
他拿出一支烟，扔给父亲。
Fùqin qù jiē, méi jiēzhù, wǒ yòu mǎshàng qù
父亲去接，没接住，我又马上去
jiē, jiēzhù le, gěile wǒ fùqin. Shūshu
接，接住了，给了我父亲。叔叔

1 咸蛋: preserved egg

kànzhe wǒ, shuō: "Jiē de hěn kuài ma!"
看着我，说："接得很快嘛！"
Wǒ běnlái xiǎng gàosu shūshu, wǒ zài xuéxiào de bàngqiúduì liànxíguo jiē qiú, dànshì wǒ méiyǒu shuō. Yīnwèi bàba gàosu wǒ, dàole shūshu zhèr yǐhòu, yídìng yào shǎo shuōhuà, duō zuò shìqing. Xué yī bù róngyì. Bàba gēn wǒ shuōle hěn duō cì: "Xué yī bù róngyì, jíshǐ shì gēn zìjǐ de shūshu xué, yě bù xíng. Shūshu shì zìjǐ jiā de rén, duì nǐ hái néng kuānróng. Kěshì shěnshen jiù bù xíng le, tā gēn wǒmen méiyǒu shénme xuèyuán guānxi, suǒyǐ yíqiè dōu yào tīng tā de." Bàba shuō: "Wǒ hěn zǎo yǐqián zài zhōngyàodiàn li xué yī. Gāng kāishǐ de liǎng nián, wǒ shénme dōu xuébudào. Wǒ yào gàn hěn duō huór, bāngzhù
我本来想告诉叔叔，我在学校的棒球[1]队练习过接球，但是我没有说。因为爸爸告诉我，到了叔叔这儿以后，一定要少说话，多做事情。学医不容易。爸爸跟我说了很多次："学医不容易，即使是跟自己的叔叔学，也不行。叔叔是自己家的人，对你还能宽容[2]。可是婶婶就不行了，她跟我们没有什么血缘关系[3]，所以一切都要听她的。"爸爸说："我很早以前在中药店里学医。刚开始的两年，我什么都学不到。我要干很多活儿，帮助

1 **棒球**: baseball
2 **宽容**: tolerant
e.g. 他对人很宽容，跟同事们的关系很好。
3 **血缘关系**: be related by blood

kān háizi, dǎ shuǐ, sǎo dì, shāohuǒ……
看孩子，打水、扫地、烧火……
shénme shìqing dōu zuò. Nǐ lái zhèr shì xué
什么事情都做。你来这儿是学
yī! Yídìng yào shǎo shuōhuà, duō gàn huór."
医！一定要少说话，多干活儿。"

Shūshu de yì zhī yān xīwán le, yòu
叔叔的一支烟吸完了，又
náchū yì zhī yān xī qǐlai. Tā shuō: "Xué diǎn
拿出一支烟吸起来。他说："学点
shénme bù hǎo? Qù zuò shēngyi ma! Zuò shénme
什么不好？去做生意嘛！做什么
yě bǐ xué yī hǎo, wǒ dōu gàngòu le."
也比学医好，我都干够[1]了。"

Wǒ bàba shuō: "Tā shūshu, wǒ hé
我爸爸说："他叔叔，我和
nǐ sǎozi zhǐyǒu zhè yí gè háizi. Tā shì
你嫂子只有这一个孩子。他是
nǐ de qīn zhízi, nǐ hé tā shěnshen, shuō
你的亲侄子[2]，你和他婶婶，说
tā, mà tā, dǎ tā, dōu méi guānxi."
他、骂他、打他，都没关系。"

Shūshu shuō: "Xíng le, xíng le, nǐ
叔叔说："行了，行了，你
huíqu ba, tā zìjǐ yuànyi xué, jiù ràng tā
回去吧，他自己愿意学，就让他
zài zhèr gàn ba! Rúguǒ wǒ yǒu érzi, wǒ
在这儿干吧！如果我有儿子，我
yídìng bú ràng tā gàn zhè gè."
一定不让他干这个。"

1 **够**: enough
e.g. 我都干够了。(I am tired of the work.)
e.g. 他说话太多，我都听够了。

2 **侄子**: nephew

Wǒ shūshu yǐqián shì nóngcūn yīshēng .
我叔叔以前是农村医生。
Tā shénme bìng dōu kàn , zhōngyī , xīyī ,
他什么病都看，中医、西医、
wàikē , nèikē , érkē , fùkē . Gǎigé
外科、内科、儿科、妇科。[1]改革
kāifàng yǐhòu , shūshu tōngguò kǎoshì , dào
开放[2]以后，叔叔通过考试，到
shěngli de yīyuàn xuéxíle liǎng nián . Huílai
省里的医院学习了两年。回来
hòu tā jiù dào shìli yīyuàn gōngzuò , chéngle
后他就到市里医院工作，成了
wàikē dàifu . Zài shì yīyuàn tā zuòguo jǐ gè
外科大夫。在市医院他做过几个
chénggōng de dà shǒushù . Tā ài fā píqi .
成功的大手术。他爱发脾气。
Shì yīyuàn duì tā méi bànfǎ , zhēn bù zhīdao
市医院对他没办法，真不知道
gāi zěnme bàn . Hòulái wǒ shūshu xiǎng tuìxiū ,
该怎么办。后来我叔叔想退休，
yīyuàn mǎshàng tóngyì le .
医院马上同意了。

Shūshu tuìxiū hòu , jiù zài Báimǎ Zhèn
叔叔退休后，就在白马镇
shang kāile yì jiā xiǎo yīyuàn . Yīyuàn fēicháng
上开了一家小医院。医院非常
xiǎo , zhǐyǒu liǎng jiān fángzi . Dànshì zài ménkǒu
小，只有两间房子。但是在门口
què guàle yí gè dà páizi — “ Guǎn Shì
却挂了一个大牌子——“管氏

1 **中医**: Chinese medicine; **西医**: Western medicine; **外科**: surgery; **内科**: internal medicine; **儿科**: paediatrics; **妇科**: gynecology

2 **改革开放**: reform and opening-up. Here it refers to the reform and opening-up in 1980s in China.

e.g. 自从改革开放以来，人们越来越喜欢旅游了。

Dà Yīyuàn". Wǒmen jiā xìng "Guǎn", suǒyǐ
大医院"。我们家姓"管"，所以
jiào "Guǎn Shì Dà Yīyuàn". Yóuyú shūshu yǐqián
叫"管氏大医院"。由于叔叔以前
hěn yǒumíng, zhènshang de rén qù shìli kànbìng
很有名，镇上的人去市里看病
bù fāngbiàn, dào shì yīyuàn kànbìng yě hěn guì,
不方便，到市医院看病也很贵，
suǒyǐ lái shūshu zhèr kànbìng de rén hěn duō.
所以来叔叔这儿看病的人很多。
Zài zhèr, shūshu dà bìng xiǎo bìng dōu kàn.
在这儿，叔叔大病小病都看。
Shūshu dāng yīshēng, shěnshen dāng hùshi. Wǒ
叔叔当医生，婶婶当护士。我
shěnshen shì nóngcūn fùnǚ, zhǐ shàngguo sān nián
婶婶是农村妇女，只上过三年
xiǎoxué. Bùjiǔ yǐqián, tāmen zuòle yí gè
小学。不久以前，他们做了一个
dà shǒushù, huā qián hěn shǎo, shǒushù zuò de
大手术，花钱很少，手术做得
yě hěn hǎo. Shūshu de míngshēng zài nóngcūn
也很好。叔叔的名声在农村
yuèláiyuè hǎo le.
越来越好了。

Shūshu de yīyuàn zhǐyǒu liǎng jiān fángzi.
叔叔的医院只有两间房子。
Lǐmiàn yì jiān shì shǒushùshì. Fángjiān li yǒu yì
里面一间是手术室。房间里有一
zhāng chuáng, shì gěi bìngrén kànbìng de chuáng,
张床，是给病人看病的床，

hái yǒu yì zhāng zhuōzi, zhuōzi shàng fàngzhe jǐ
还有一张桌子，桌子上放着几
gè pánzi, pánzi li yǒu dāozi shénme de.
个盘子，盘子里有刀子什么的。
Fángjiān li hái yǒu yí gè huángsè de guìzi,
房间里还有一个黄色的柜子，
guìzi li yǒu yìxiē yàopíng. Zhèxiē jiùshì zhè gè
柜子里有一些药瓶。这些就是这个
"Guǎn Shì Dà Yīyuàn" de quánbù shèbèi.
"管氏大医院"的全部设备[1]。

Wǒ dào shūshu de yīyuàn yǐjīng bàn nián
我到叔叔的医院已经半年
duō le. Zài zhè bàn nián li, wǒ de gōngzuò
多了。在这半年里，我的工作
jiùshì sǎo dì, shāo shuǐ, zhōngwǔ chūqu mǎi
就是扫地、烧水，中午出去买
sān gè héfàn, shūshu, shěnshen hé wǒ yì
三个盒饭，叔叔、婶婶和我一
rén yì hé. Shūshu hé shěnshen wǎnshang huí
人一盒。叔叔和婶婶晚上回
jiā shuìjiào, wǒ shuì zài yīyuàn li kān mén.
家睡觉，我睡在医院里看门。
Wǒ de zǎofàn hé wǎnfàn shì fāngbiànmiàn,
我的早饭和晚饭是方便面[2]，
yǒushíhou shūshu yě gěi wǒ dài diǎn chī de.
有时候叔叔也给我带点吃的。
Duìyú yīxué wǒ yě xuéle yìdiǎn. Shūshu
对于医学我也学了一点。叔叔
jiāo wǒ rènshile jǐshí zhǒng chángyòng yào,
教我认识了几十种常用药，

1 **设备**: equipment
e.g. 这家医院的设备很旧，他们正在准备换新的。

2 **方便面**: instant noodles

wǎnshang yǒu rén lái mǎi yào, wǒ kěyǐ màigěi
晚上有人来买药，我可以卖给
tāmen. Dàole dōngtiān, wǒ yòu duōle yí
他们。到了冬天，我又多了一
jiàn shì: shēng lúzi. Měi tiān zǎoshang zài
件事：生炉子[1]。每天早上在
shūshu hé shěnshen dào yīyuàn zhīqián, wǒ jiù
叔叔和婶婶到医院之前，我就
bǎ wàiwū de lúzi shēnghǎo.
把外屋的炉子生好。

Shūshu tèbié néng hē shuǐ, bā bàng
叔叔特别能喝水，八磅
de rèshuǐpíng měi tiān yào hē sān píng. Tā yǒu
的热水瓶每天要喝三瓶。他有
yí gè tèbié dà de chágāngzi, tā de
一个特别大的茶缸子[2]，他的
chágāngzi hěn jiù, hěn hēi. Tā tèbié xǐhuan
茶缸子很旧、很黑。他特别喜欢
tā de chágāngzi. Tā ràng wǒ xī tā de
他的茶缸子。他让我吸他的
yān, dàn bú ràng wǒ yòng tā de chágāng. Wǒ
烟，但不让我用他的茶缸。我
chángcháng xiǎng, rúguǒ yǒu yì tiān shūshu bǎ
常常想，如果有一天叔叔把
tā de chágāng wàng zài yīyuàn li, nà wǒ
他的茶缸忘在医院里，那我
jiù kěyǐ yòng tā de chágāngzi hē yí cì
就可以用他的茶缸子喝一次
shuǐ, chángcháng chágāngzi li de shuǐ shì shénme
水，尝尝茶缸子里的水是什么

1 **生炉子**: light a stove
e.g. 在北方的农村，冬天人们都在家里生炉子。
2 **茶缸子**: mug

wèidào . Dàn shūshu cónglái méi gěi wǒ zhèyàng
味道。但叔叔从来没给我这样
de jīhui . Tā zǒudào nǎr dōu dàizhe tā de
的机会。他走到哪儿都带着他的
chágāngzi , jìn shǒushùshì gěi rén zuò shǒushù yě
茶缸子，进手术室给人做手术也
yào bǎ tā ná jìnqu .
要把它拿进去。

Yì tiān zǎoshang , wǒ shēnghǎo lúzi , gěi
一天早上，我生好炉子，给
shūshu shāo kāishuǐ . Wǒ cāle zhuōzi , sǎole
叔叔烧开水。我擦了桌子，扫了
dì , jiù zuò zài zhuōzi qián chī fāngbiànmiàn .
地，就坐在桌子前吃方便面。
Wūzi wàimian xiàzhe dà xuě , guāzhe běifēng ,
屋子外面下着大雪，刮着北风，
ér wūzi li yǒu lúzi , hěn nuǎnhuo . Shuǐhú
而屋子里有炉子，很暖和。水壶
li de shuǐ hěn kuài jiù kāi le , màozhe
里的水很快就开了，冒着
rèqì , shuǐhú hǎoxiàng zài chàng gē . Wǒ
热气，水壶好像在唱歌。我
tīngzhe shuǐhú shēng , tòuguò bōli , kànzhe
听着水壶声，透过玻璃，看着
chuāngwài de dà xuě , jiēdào , fángwū ,
窗外的大雪、街道、房屋、
héliú . Chuāngwài yí piàn báisè , wǒ de
河流。窗外一片白色，我的
xīnli gǎndào kōngkōng de .
心里感到空空的。

Wǒ yòng bù cāle jǐ xià chuānghu, bǎ liǎn tiēdào chuāngzi shàng xiàng wài kàn. Wǒ kàndào yì tiáo dà hēigǒu zǒule guòqu. Zhèshí wǒ yòu kàndào yí gè fùnǚ, shǒuli tízhe yí gè lánzi cóng hébiān zǒu guòlai. Wǒ rènshi tā. Tā xìng Mèng, shì yí gè guǎfu. Tā yǒu yí gè nǚ'ér, jiào Mèng Xǐxǐ, shì wǒ gāozhōng de tóngxué. Tā jiā zài jiēshang kāile yí gè yútóu huǒguō fànguǎn. Fànguǎn de míngzi jiào "Mèng Yútóu", rénmen xíguàn jiào tā Mèng Yútóu.

我用布擦了几下窗户，把脸贴到窗子上向外看。我看到一条大黑狗走了过去。这时我又看到一个妇女，手里提着一个篮子从河边走过来。我认识她。她姓孟，是一个寡妇[1]。她有一个女儿，叫孟喜喜，是我高中的同学。她家在街上开了一个鱼头火锅[2]饭馆。饭馆的名字叫“孟鱼头”，人们习惯叫她孟鱼头。

Kànzhe Mèng Xǐxǐ de mǔqin, wǒ xiǎngqǐle xuéxiào li de xǔduō shìqing.

看着孟喜喜的母亲，我想起了学校里的许多事情。

Mèng Xǐxǐ de shēncái xiàng tā mǔqin yíyàng gāodà, dàn bǐ tā mǔqin hǎokàn. Tā

孟喜喜的身材[3]像她母亲一样高大，但比她母亲好看。她

1 **寡妇**: widow
e.g. 她当了很多年的寡妇，带着女儿生活，很不容易。

2 **鱼头火锅**: fish head hotpot

3 **身材**: stature
e.g. 他身材高大。

hěn piàoliang . Tā de étóu hěn kuān , hěn
很漂亮。她的额头[1]很宽、很

liàng . Tā de méimao hěn xì , hěn cháng . Tā
亮。她的眉毛很细、很长。她

de yǎnjing bú tài dà , dànshì hěn míngliàng .
的眼睛不太大，但是很明亮。

Tā de zuǐ yě hěn hǎokàn , hǎoxiàng hónghóng de
她的嘴也很好看，好像红红的

yīngtao . Tā de xiōng hěn gāo . Tā jīngcháng
樱桃[2]。她的胸[3]很高。她经常

chuānzhe píxié , zài xiàoyuán li , zài jiāoxuélóu
穿着皮鞋，在校园里、在教学楼

li zǒu lái zǒu qù . Tā kàn qǐlai hěn jiāo'ào ,
里走来走去。她看起来很骄傲，

yǔ qítā de nǚtóngxué xiāngbǐ , tā tài
与其他的女同学相比，她太

piàoliang le .
漂亮了。

Wǒmen de zhōngxué hěn bǎoshǒu , yǒu
我们的中学很保守[4]，有

5 8 tiáo xuéshēng guīdìng , xuéshēng bù zhǔn xī
58条学生规定[5]，学生不准[6]吸

yān , bù zhǔn hē jiǔ , bù zhǔn huàzhuāng , bù
烟、不准喝酒、不准化妆、不

zhǔn tàngfà , bù zhǔn chuān gāogēnxié děngděng .
准烫发[7]、不准穿高跟鞋等等。

Rúguǒ shuí wéifǎn guīdìng , shuí jiù huì shòu
如果谁违反规定，谁就会受

chǔfèn , huòzhě bèi xuéxiào kāichú . Wǒmen de
处分，或者被学校开除。我们的

1 **额头**: forehead

2 **樱桃**: cherry

3 **胸**: breast

4 **保守**: conservative

e.g. 他很保守，不喜欢时髦的东西。

5 **规定**: rule

e.g. 公司规定每个人在工作时间要说普通话。

6 **准**: to allow; to permit

e.g. 在商场里不准吸烟。

7 **烫发**: perm; have one's hair permed

niánjí zhǔrèn shì gè nǚ lǎoshī , tā de liǎn hěn
年级主任是个女老师，她的脸很
cháng , kàn shàngqu hěn nánkàn . Wǒmen dōu bù
长，看上去很难看。我们都不
xǐhuan tā , dànshì hěn pà tā .
喜欢她，但是很怕她。

Zài yí cì dàhuì shàng , niánjí
在一次大会上，年级
zhǔrèn lǎoshī pīpíng Mèng Xǐxǐ , shuō : " Yǒude
主任老师批评孟喜喜，说：“有的
tóngxué , bú xiàngyàngzi ! Nǐ zìjǐ duìzhe
同学，不像样子！你自己对着
jìngzi kànkan , hái xiàng gè xuésheng ma ? "
镜子看看，还像个学生吗？”
Dàjiā yíxiàzi dōu kànzhe Mèng Xǐxǐ .
大家一下子都看着孟喜喜。
Mèng Xǐxǐ hǎoxiàng yìdiǎnr yě bù shēngqì ,
孟喜喜好像一点儿也不生气，
xiàng zuǒ kànkan , xiàng yòu kànkan . Ránhòu zhè
向左看看，向右看看。然后这
gè lǎoshī duì Mèng Xǐxǐ hǎn qǐlai : " Wǒ
个老师对孟喜喜喊起来：“我
shuō de jiùshì nǐ ! Nǐ yǐwéi zhè shì shénme
说的就是你！你以为这是什么
dìfang ? Zhè shì xuéxiào , bú shì jiǔbā . "
地方？这是学校，不是酒吧。”
Zhè shí wǒ kàndào jǐ gè nǚshēng qiāoqiāo de
这时我看到几个女生悄悄地
xiào qǐlai , tāmen xiǎnde hěn gāoxìng . Nán
笑起来，她们显得很高兴。男

tóngxué què xiǎnde hěn nánshòu. Wǒ yě juéde
同学却显得很难受。我也觉得
hěn nánshòu. Dàn Mèng Xǐxǐ què hěn píngjìng,
很难受。但孟喜喜却很平静，
liǎnshang dàizhe wēixiào.
脸上带着微笑。

Xǐxǐ háishi méi shénme biànhuà,
喜喜还是没什么变化，
háishi nàyàng zài xiàoyuán li、jiāoxuélóu li zǒu
还是那样在校园里、教学楼里走
lái zǒu qù. Wǒmen nántóngxué hěn yuànyi kàn
来走去。我们男同学很愿意看
Mèng Xǐxǐ. Yǒu hěn duō nántóngxué gùyì hé
孟喜喜。有很多男同学故意和
Mèng Xǐxǐ shuōhuà, hái yǒu de nántóngxué cóng
孟喜喜说话，还有的男同学从
jiāli nálái hǎochī de dōngxi gěi tā chī. Wǒ
家里拿来好吃的东西给她吃。我
yě cóng jiāli nálái pútao, yòng yì zhāng zhǐ
也从家里拿来葡萄，用一张纸
bāohǎo, nádào xuéxiào. Xiūxi de shíhou, wǒ
包好，拿到学校。休息的时候，我
bǎ pútao gěile Mèng Xǐxǐ, ránhòu wǒ jiù
把葡萄给了孟喜喜，然后我就
gǎnkuài líkāi le.
赶快离开了。

Yào shàngkè le, wǒ huídào jiàoshì li.
要上课了，我回到教室里。
tóngxuémen zhèngzài dà shēng de hǎnzhe, tiàozhe,
同学们正在大声地喊着、跳着，

fēicháng luàn. Mèng Xǐxǐ zhāixià pútao xiàng
非常乱。孟喜喜摘下葡萄向
nánháizimen rēngqù, nánháirmen jiù jǐ zài
男孩子们扔去，男孩儿们就挤在
yìqǐ qiǎng pútao, yǒushíhou tā zìjǐ
一起抢[1]葡萄，有时候她自己
yě chī yì kē. Wǒ de xīnli gǎndào suānsuān
也吃一颗。我的心里感到酸酸
de, wǒ bù gāoxìng tā bǎ pútao gěi tóngxué
的，我不高兴她把葡萄给同学
chī. Dàn yě yǒudiǎn gāoxìng, tā háishi chīle
吃。但也有点高兴，她还是吃了
yìxiē wǒ de pútao, wǒ gǎndào wǒ yǔ tā
一些我的葡萄，我感到我与她
de guānxi gèng jìnle yìdiǎn. Nántóngxuémen
的关系更近了一点。男同学们
zhèngzài hǎnjiàozhe, děngdào niánjí zhǔrèn lǎoshī
正在喊叫着，等到年级主任老师
zǒujìn jiàoshì de shíhou, dàjiā cái mànmàn de
走进教室的时候，大家才慢慢地
ānjìng xiàlai.
安静下来。

Niánjí zhǔrèn lǎoshī zhàndàole Mèng Xǐxǐ
年级主任老师站到了孟喜喜
de miànqián. Mèng Xǐxǐ de liǎn hónghóng de,
的面前。孟喜喜的脸红红的，
dī shēng shuō: "Duìbuqǐ……"
低声说："对不起……"

Lǎoshī wèn dàjiā: "Pútao shì shuí de?
老师问大家："葡萄是谁的？

1 抢: to snatch; to grab
e.g. 他的钱包被人抢了。
e.g. 你看，那几个孩子在抢球，他们玩得真高兴。

Shì shuí gěi Mèng Xǐxǐ de ? ” Wǒ gǎndào wǒ
是谁给孟喜喜的？”我感到我
de liǎn zài fāshāo , wǒ gǎnmáng bǎ tóu dīxià
的脸在发烧，我赶忙把头低下
le . Lǎoshī jiàole wǒ de míngzi , ràng wǒ
了。老师叫了我的名字，让我
shuō shì shuí gěile Mèng Xǐxǐ pútao . Wǒ
说是谁给了孟喜喜葡萄。我
zhèngyào shuōhuà de shíhou , Mèng Xǐxǐ zhànle
正要说话的时候，孟喜喜站了
qǐlai . Tā shuō : “ Pútao shì tā de , shì wǒ
起来。她说：“葡萄是他的，是我
cóng tā shǒuli qiǎng guòlai de . ”
从他手里抢过来的。”

Lǎoshī wèn wǒ : “ Zhè shì zhēn de ma ?
老师问我：“这是真的吗？
Shì tā cóng nǐ shǒuli qiǎng de pútao ma ? ”
是她从你手里抢的葡萄吗？”
Wǒ kànle yíxià lǎoshī , xiǎo shēng de shuō :
我看了一下老师，小声地说：
“ Shì …… ” wǒ de shēngyīn fēicháng dī , wǒ
“是……”我的声音非常低，我
zìjǐ dōu tīng bù qīngchu .
自己都听不清楚。

Pútao shì wǒ gěi Mèng Xǐxǐ de , bú
葡萄是我给孟喜喜的，不
shì tā qiǎng de . Kěshì wǒ hàipà lǎoshī ,
是她抢的。可是我害怕老师，
bù gǎn shuō zhēnhuà . Wǒ xīnli juéde duìbuqǐ
不敢说真话。我心里觉得对不起

Mèng Xǐxi.
孟喜喜。

Yǒu yì tiān zài shàngkè de shíhou, niánjí zhǔrèn lǎoshī shuō: "Jiēshang de fàláng, fànguǎn, Zhāng Yútóu, Lǐ Yútóu shénme de, dōu shì sèqíng hángyè." Dàjiā tōutōu de xiàng Mèng Xǐxi kànqù. Tā de liǎnsè cǎnbái, dànshì liǎnshang háishi chūxiànle wēixiào.
有一天在上课的时候，年级主任老师说："街上的发廊、饭馆，张鱼头、李鱼头什么的，都是色情行业[1]。"大家偷偷地向孟喜喜看去。她的脸色惨白，但是脸上还是出现了微笑。

Yǒu yì tiān zǎochen, wǒ gēnzhe Mèng Xǐxi yìqǐ zǒujìn xuéxiào. Cóng pútao zhè jiàn shì yǐhòu, wǒ nèixīn gǎndào hěn cánkuì, zǒng xiǎng xiàng tā jiěshì yíxià, kěshì dāng wǒ zhàn zài tā miànqián de shíhou, wǒ yòu shuōbuchū huà lái. Ér tā zǒngshì xiàoyixiào, jiù zǒukāi le. Zài tōngxiàng jiāoxuélóu de lùshang, niánjí zhǔrèn zhàn zài nàr, yàngzi hěn lìhai. Tóngxuémen
有一天早晨，我跟着孟喜喜一起走进学校。从葡萄这件事以后，我内心感到很惭愧[2]，总想向她解释一下，可是当我站在她面前的时候，我又说不出话来。而她总是笑一笑，就走开了。在通向教学楼的路上，年级主任站在那儿，样子很厉害。同学们

1 **色情行业**: sex industry
e.g. 政府不准搞色情行业。
e.g. 一些色情行业已经被关了。

2 **惭愧**: be ashamed of. In the story, "I" gave Meng Xixi the grapes, but did not dare to admit it, and escaped the teacher's blame. So "I" felt ashamed of myself.
e.g. 他没有把工作做好，感到很惭愧。

dōu bù gǎn zǒushàng qián, shuí yě bú yuànyi
都不敢走上前，谁也不愿意
yùjian tā. Zhǐyǒu Mèng Xǐxǐ xiàng tā zǒuqù.
遇见她。只有孟喜喜向她走去。
Wǒ tūrán míngbai le, tā shì zài děng Mèng
我突然明白了，她是在等孟
Xǐxǐ. Wǒ de nǎozi li hǎoxiàng shāoqǐle yì
喜喜。我的脑子里好像烧起了一
bǎ huǒ. Wǒ tīng dào niánjí zhǔrèn lǎoshī shuō:
把火。我听到年级主任老师说：
"Mèng Xǐxǐ, nǐ zhànzhu!"
"孟喜喜，你站住！"

Wǒ duǒdàole yì kē dà shù hòumian,
我躲[1]到了一棵大树后面，
wǒ kàndào Mèng Xǐxǐ zài niánjí zhǔrèn miànqián
我看到孟喜喜在年级主任面前
zhànzhu le. Wǒ kànbudào Mèng Xǐxǐ de liǎn.
站住了。我看不到孟喜喜的脸。
Wǒ tīngdào niánjí zhǔrèn dī shēng shuōle yí
我听到年级主任低声说了一
jù shénme. Guòle yíhuìr, Mèng Xǐxǐ de
句什么。过了一会儿，孟喜喜的
tóu tūrán wǎng qián yì dī, zhuàng zài niánjí
头突然往前一低，撞在年级
zhǔrèn de zuǐ shàng. Dàjiā dōu tīngdào niánjí
主任的嘴上。大家都听到年级
zhǔrèn dà jiào yì shēng, ránhòu wǒmen kàndào
主任大叫一声，然后我们看到
tā yòng shǒu wǔzhùle zuǐ. Mèng Xǐxǐ
她用手捂[2]住了嘴。孟喜喜

1 **躲**: to hide
e.g. 这个孩子躲在门后，妈妈没有看见他。

2 **捂**: to cover
e.g. 这个老师说话很有意思，学生们都捂着嘴笑。

zhuǎnshēn wǎng xiàoménkǒu zǒuqù . Tā zǒulù de
转身往校门口走去。她走路的
yàngzi , hǎoxiàng shénme shì dōu méi fāshēng .
样子，好像什么事都没发生。
Yǐhòu , tā zài yě méiyǒu huídào xuéxiào .
以后，她再也没有回到学校。
Xuéxiào kāichúle Mèng Xǐxǐ , ér wǒmen
学校开除了孟喜喜，而我们
xuésheng rènwéi shì tā zìjǐ tuìxué de .
学生认为是她自己退学的。

Mèng Xǐxǐ tuìxué yǐhòu , hé mǔqin
孟喜喜退学以后，和母亲
yìqǐ bǎ Mèng Yútóu Fànguǎn de shēngyi zuò de
一起把孟鱼头饭馆的生意做得
hónghónghuǒhuǒ . Wǒmen jīngcháng kàndào tā chuānzhe
红红火火。我们经常看到她穿着
hóng qípáo , zhàn zài ménkǒu jiēdài gùkè . Tā
红旗袍，站在门口接待顾客[1]。她
líkāi xuéxiào yǐhòu , niánjí zhǔrèn zài shàngkè
离开学校以后，年级主任在上课
de shíhou , chángcháng yòng yìxiē huà wǔrǔ
的时候，常常用一些话侮辱
Mèng Xǐxǐ . Měi cì wǒ zài jiēshang kàndào Mèng
孟喜喜。每次我在街上看到孟
Xǐxǐ , xīnli jiù gǎndào nánshòu .
喜喜，心里就感到难受[2]。

Wǒ yìbiān xiǎngzhe Mèng Xǐxǐ , yìbiān
我一边想着孟喜喜，一边
kànzhe chuāngwài . Wǒ kànjian tā de mǔqin
看着窗外。我看见她的母亲

1 **顾客**: client; customer
e.g. 这家饭馆不错，顾客很多。

2 **难受**: feel sad
e.g. 她知道做错事情了，心里很难受。

zǒujìnle xiǎo yīyuàn de ménkǒu. Wǒ kàndào tā
走近了小医院的门口。我看到她
nà liǎng tiáo gēbo dòng de fāhóng. Zài tā de
那两条胳膊冻得发红。在她的
lánzi li, wǒ kàndàole jǐshí gè féidà de
篮子里，我看到了几十个肥大的
yútóu. Zhè shí wǒ xiǎngqǐle wǒ bàba de
鱼头。这时我想起了我爸爸的
huà. Dāng rénmen duì Mèng Yútóu shuō xiánhuà
话。当人们对孟鱼头说闲话[1]
de shíhou, wǒ bàba jiù shuō: "Nǐmen háishi
的时候，我爸爸就说：“你们还是
shǎo shuō diǎn ba, yí gè guǎfu dàizhe yí gè
少说点吧，一个寡妇带着一个
nǚ'ér kāizhe yí gè zhème dà de fànguǎn,
女儿开着一个这么大的饭馆，
bù róngyì a. Tāmen yǒu qián le, nǐmen
不容易啊。她们有钱了，你们
bù gāoxìng, rúguǒ tāmen méiyǒu fàn chī,
不高兴，如果她们没有饭吃，
nǐmen jiù gāoxìng ma?" Wǒ zhīdao bàba shuō
你们就高兴吗？”我知道爸爸说
de hěn duì.
得很对。

Yǐqián wǒ gēn huài háizi zài yìqǐ
以前我跟坏孩子在一起
wán de shíhou, yǒu jǐ cì wǒ xiǎng qù Mèng
玩的时候，有几次我想去孟
Yútóu Fànguǎn chī fàn. Kěshì yuǎnyuǎn de kàndào
鱼头饭馆吃饭。可是远远地看到

1 说闲话: to gossip
e.g. 他最讨厌说闲话的人。

měilì de Mèng Xǐxǐ, wǒ xīnli jiù gǎndào
美丽的孟喜喜，我心里就感到
shífēn tòngkǔ. Dāng wǒ kàndào wǒ nàxiē huài
十分痛苦。当我看到我那些坏
péngyoumen duì Mèng Xǐxǐ dòngshǒu-dòngjiǎo, wǒ
朋友们对孟喜喜动手动脚，我
jiù gǎnmáng zǒukāi le. Ránhòu wǒ jiù gēn nàxiē
就赶忙走开了。然后我就跟那些
huài péngyoumen dǎjià, wǒ chángcháng bèi tāmen
坏朋友们打架，我常常被他们
dǎ de bíqīng-liǎnzhǒng. Wǒ yě jīngcháng mà
打得鼻青脸肿[1]。我也经常骂
zìjǐ: "Tā shì nǐ de lǎopo ma? Tā shì
自己："她是你的老婆[2]吗？她是
nǐ de jiěmèi ma? Tā bú shì nǐ de lǎopo,
你的姐妹吗？她不是你的老婆，
yě bú shì nǐ de jiějie, mèimei, nǐ wèi
也不是你的姐姐、妹妹，你为
shénme qù guǎn tā de shì?"
什么去管[3]她的事？"

Gēn shūshu xué yī yǐhòu, wǒ yǐjīng hěn
跟叔叔学医以后，我已经很
cháng shíjiān méi jiàndào Mèng Xǐxǐ, yě hěn
长时间没见到孟喜喜，也很
cháng shíjiān méi xiǎng tā le. Wǒ kàndào tā
长时间没想她了。我看到她
mǔqin zài xuědì li jiānnán de zǒuzhe, wǒ cái
母亲在雪地里艰难地走着，我才
yòu xiǎngqǐle tā. Wǒ zài xiǎng: Mèng Xǐxǐ
又想起了她。我在想：孟喜喜

1 **鼻青脸肿**: black and blue
e.g. 这个孩子在学校打架了，鼻青脸肿地回家了。

2 **老婆**: (informal) wife
e.g. 他老婆是旅馆里的服务员。

3 **管**: be concerned about; care about
e.g. 这个孩子的父母离婚了，他没人管，很可怜。

xiànzài gàn shénme ne ?
现在干什么呢？

Tūrán , shénqí de shìqing chūxiàn le .
突然，神奇[1]的事情出现了。

Mèng Xǐxǐ xiàng yīyuàn mànmàn de zǒulái . Tā jiā lí shūshu de yīyuàn hěn yuǎn . Wǒ zài xiǎngzhe Mèng Xǐxǐ de shíhou , tā jiù chūxiàn le .
孟喜喜向医院慢慢地走来。她家离叔叔的医院很远。我在想着孟喜喜的时候，她就出现了。

Wǒ kàndào yì bǎ huángsè de yǔsǎn xiàng yīyuàn zǒu guòlai . Gāng kāishǐ de shíhou , wǒ hái yǐwéi shì wǒ kàncuò le . Dāng tā mànmàn zǒujìn , wǒ kàndàole yǔsǎn xiàmian de měilì shēncái . Zài wǒmen zhènshang , Mèng Xǐxǐ de shēncái shì zuì hǎo de . Bùguǎn tā zěnyàng zǒulù , dōu ràng rén gǎndào tā de gāoguì yōuyǎ .
我看到一把黄色的雨伞[2]向医院走过来。刚开始的时候，我还以为是我看错了。当她慢慢走近，我看到了雨伞下面的美丽身材。在我们镇上，孟喜喜的身材是最好的。不管她怎样走路，都让人感到她的高贵优雅[3]。

Mèng Xǐxǐ yuè zǒu yuè jìn , tā de liǎn yě yuèláiyuè qīngchu . Wǒ zhīdao tā huì
孟喜喜越走越近，她的脸也越来越清楚。我知道她会

**1 神奇**: magical; miraculous
e.g. 这个故事很神奇，孩子们都很喜欢。

**2 雨伞**: umbrella

**3 高贵优雅**: noble and elegant
e.g. 这位妇女显得高贵优雅，一点也不俗气。

cóng yīyuàn qiánmian hěn kuài zǒu guòqu . Wǒ
从医院前面很快走过去。我
yě zhīdao , dāng tā zǒu guòqu de shíhou ,
也知道，当她走过去的时候，
wǒ xīnli huì gèngjiā tòngkǔ . Wǒ cāixiǎng ,
我心里会更加痛苦。我猜想，
shénme shì dōu kěnéng fāshēng , tā shì bú huì
什么事都可能发生，她是不会
lái qiāo yīyuàn de mén de . Dànshì wǒ háishi
来敲医院的门的。但是我还是
děngdàizhe .
等待着。

Jiù zài zhè shí , tā láidàole yīyuàn
就在这时，她来到了医院
ménkǒu . Guòle yíhuìr , yòu guòle yíhuìr ,
门口。过了一会儿，又过了一会儿，
tā hái méiyǒu zài chuāng qián chūxiàn . Tiān na ,
她还没有在窗前出现。天哪，
tā yǐjīng zhàn zài le yīyuàn de mén qián !
她已经站在了医院的门前！
Wǒ bǎ liǎn jǐnjǐn de tiē zài bōli shàng ,
我把脸紧紧地贴在玻璃上，
zhēn de kàndào tā zhàn zài le mén qián , érqiě
真的看到她站在了门前，而且
shì miànxiàngzhe mén . Tā táiqǐ shǒu , tíngle
是面向着门。她抬起手，停了
yíhuìr , hǎoxiàng zài xiǎng shénme , suíhòu wǒ
一会儿，好像在想什么，随后我
jiù tīngdàole qiāo mén shēng .
就听到了敲门声。

Wǒ tiào guòqu, gǎnmáng bǎ mén dǎkāi.
我跳过去，赶忙把门打开。
Tā míngmèi de liǎn shǐ wǒ gǎndào xuànyùn,
她明媚[1]的脸使我感到眩晕[2]，
wǒ de yǎnjing li tūrán yǒngchūle lèishuǐ. Yì
我的眼睛里突然涌出了泪水。一
gǔ hánqì dàizhe xuěhuā piāojìn wū li, hǎoxiàng
股寒气带着雪花飘进屋里，好像
hái dàiyǒu yì zhǒng yōuxiāng, wǒ zhīdao zhè shì
还带有一种幽香[3]，我知道这是
tā shēnshang de xiāngshuǐ wèi.
她身上的香水味。

Tā kèqi de duìzhe wǒ diǎndiǎn tóu, qīng
她客气地对着我点点头，轻
shēng de wèn: "Guǎn dàifu zài ma?"
声地问："管大夫在吗？"

Wǒ shuō: "Bú zài ……" Wǒ gǎndào zìjǐ
我说："不在……"我感到自己
de yáchǐ zài dǎchàn.
的牙齿在打颤。

Kàndào tā hěn shīwàng, wǒ gǎnmáng shuō:
看到她很失望[4]，我赶忙说：
"Wǒ shūshu mǎshàng jiù lái. Tā bú huì bù
"我叔叔马上就来。他不会不
lái de, tā kěndìng huì lái de ……"
来的，他肯定会来的……"

Tā xiàole xiào, shōuqǐ yǔsǎn, duòle
她笑了笑，收起雨伞，跺了
jǐ xià jiǎo, jiù jìn mén le. Tā bǎ yǔsǎn
几下脚，就进门了。她把雨伞

1 **明媚**: bright
e.g. 今天天气晴朗，阳光明媚。

2 **眩晕**: dizzy
e.g. 他头疼，觉得有点眩晕。

3 **幽香**: delicate fragrance
e.g. 我们坐在树林里，闻到了一阵阵的幽香。

4 **失望**: disappointed
e.g. 他们学校的足球队输了，他感到很失望。

fàng zài mén hòu, tuōxià hēisè de yángróng
放在门后，脱下黑色的羊绒
dàyī, ránhòu bǎ mén guānshàng. Bīnglěng
大衣，然后把门关上。冰冷
de shìjiè bèi mén guān zài le wàibian. Lúhuǒ
的世界被门关在了外边。炉火
shāo de hěn wàng, wūzi li zhǐyǒu wǒmen liǎng
烧得很旺，屋子里只有我们两
gè rén. Wǒ xīnli zhǐyǒu tiánmì, xìngfú hé
个人。我心里只有甜蜜、幸福和
jīdòng. Wǒ gǎnmáng bǎ shūshu píngshí zuò de
激动[1]。我赶忙把叔叔平时坐的
yǐzi bāndào tā miànqián, dàn tā què zuò zài
椅子搬到她面前，但她却坐在
bìngrén zuò de fāngdèng shàng, bǎ yángróng dàyī
病人坐的方凳上，把羊绒大衣
fàng zài tā de xīgài shàng.
放在她的膝盖上。

Xiànzài wǒ cái kàn qīngchu, tā chuānzhe yì
现在我才看清楚，她穿着一
tiáo jīhū dào jiǎomiàn de báisè chángqún, qúnzi
条几乎到脚面的白色长裙，裙子
de liàozi hěn hǎo, kàn shàngqu shífēn guānghuá.
的料子很好，看上去十分光滑。
Tā chuānzhe yì shuāng báisè de píxié, tóushang
她穿着一双白色的皮鞋，头上
wéizhe yì tiáo báisè wéijīn. Tā jiěkāi wéijīn,
围着一条白色围巾。她解开围巾，
shuō: "Nǐmen zhèli zhēn nuǎnhuo a."
说："你们这里真暖和啊。"

1 **甜蜜**: sweet; **幸福**: happy; **激动**: excited. These are the feelings when "I" saw Meng Xixi.

Wǒ bù zhīdao duì tā shuō shénme, yě
我不知道对她说什么，也
bù zhīdao wèi tā zuò shénme. Tīngle tā de
不知道为她做什么。听了她的
huà, wǒ tíqǐ shuǐhú, wǎng lúzi li yòu
话，我提起水壶，往炉子里又
jiāle yìxiē méi.
加了一些煤[1]。

Wǒ tīngdào tā zài wǒ de shēn hòu wèn:
我听到她在我的身后问：
"Xué de zěnmeyàng le? Xué de búcuò ba?"
“学得怎么样了？学得不错吧？”

Wǒ bù hǎoyìsi de shuō: "Nǎli……
我不好意思地说：“哪里……
Shénme yě méi xuézháo…… Nǐ zhīdao de, wǒ
什么也没学着……你知道的，我
hěn bèn……"
很笨[2]……”

Wǒ tīngdào tā xiàole jǐ shēng, jiù
我听到她笑了几声，就
mǎshàng tíngzhù le. Tā yǐqián bú shì zhèyàng
马上停住了。她以前不是这样
de, tā de xiàoshēng zǒngshì hěn xiǎngliàng. Wǒ
的，她的笑声总是很响亮。我
táiqǐ tóu, kàn tā bǎ yángróng dàyī hé wéijīn
抬起头，看她把羊绒大衣和围巾
jǐnjǐn de àn zài dǔzi shàng, hǎoxiàng pà
紧紧地按在肚子[3]上，好像怕
bèi rén qiǎngzǒu shìde. Tā de liǎnsè cǎnbái,
被人抢走似的。她的脸色惨白，

1 **煤**: coal
2 **笨**: stupid; slow-witted
e.g. 他说自己很笨，其实他一点儿也不笨。
3 **肚子**: belly

étóu shàng màozhe hàn. Wǒ gǎnmáng wèn: "Nǐ
额头上冒着汗。我赶忙问："你
zěnme le? Bìngle ma?"
怎么了？病了吗？"

Tā shuō: "Méi shénme……"
她说："没什么……"

Wǒ shuō: "Nǐ děngzhe, wǒ qù jiào wǒ
我说："你等着，我去叫我
shūshu!"
叔叔！"

Wǒ chōngchū ménkǒu, gāng pǎochū jǐshí
我冲出门口，刚跑出几十
bù, jiù yùshàngle shūshu hé shěnshen. Wǒ
步，就遇上了叔叔和婶婶。我
gǎnmáng shuō: "Shūshu, kuài diǎn ba……"
赶忙说："叔叔，快点吧……"

Shūshu yànfán de wèn: "Zěnme la?"
叔叔厌烦[1]地问："怎么啦？"

Wǒ shuō: "Yǒu bìngrén."
我说："有病人。"

Shūshu hēngle yì shēng.
叔叔哼了一声。

Shěnshen wèn: "Shì shuí?"
婶婶问："是谁？"

Wǒ yǒudiǎn bù hǎoyìsi de shuō: "Shì
我有点不好意思地说："是
Mèng Xǐxǐ……"
孟喜喜……"

Shūshu kànle wǒ yì yǎn, yòu hēngle yì
叔叔看了我一眼，又哼了一

1 **厌烦**: impatiently
e.g. 他对他的工作感到厌烦。他决定辞去工作。

shēng, shuō: "Tā néng yǒu shénme bìng!"
声，说："她能有什么病！"

Shěnshen lěnglěng de shuō: "Xìngbìng!"
婶婶冷冷地说："性病[1]！"

Dàole yīyuàn ménkǒu, wǒ qiǎng zài qiánmian, dǎkāi mén, ràng shūshu hé shěnshen xiān jìnqu. Mèng Xǐxǐ bàozhe dàyī hé wéijīn zhànle qǐlai, shuōle shēng: "Guǎn dàifu hǎo!"
到了医院门口，我抢在前面，打开门，让叔叔和婶婶先进去。孟喜喜抱着大衣和围巾站了起来，说了声："管大夫好！"

Shūshu hēngle yì shēng, shěnshen de yǎnjing shàngshàngxiàxià de kànle kàn tā, ránhòu shuō: "Yuánlái shì Mèng xiǎojiě, zěnme le, nǎli bù shūfu? Bié zhànzhe, qǐng zuò, qǐng zuò."
叔叔哼了一声，婶婶的眼睛上上下下地看了看她，然后说："原来是孟小姐，怎么了，哪里不舒服？别站着，请坐，请坐。"

Mèng Xǐxǐ zuòhuí dào fāngdèng shàng. Wǒ kàndào tā de liǎnsè gèngjiā nánkàn, étóu shàng hái zài màozhe hàn.
孟喜喜坐回到方凳上。我看到她的脸色更加难看，额头上还在冒着汗。

1 **性病**: venereal disease

Shūshu zhàn zài ménkǒu, yòng màozi pāidǎ
叔叔站在门口，用帽子拍打
shēnshang de xuě. Wǒ hěn zháojí. Shěnshen tuōqù
身上的雪。我很着急。婶婶脱去
wàiyī, huànshàngle báidàguà, ránhòu qù xǐ
外衣，换上了白大褂[1]，然后去洗
tā de bēizi. Hú li de shuǐ kāi le. Wǒ
她的杯子。壶里的水开了。我
shuō: "Shūshu, shuǐ kāi le, nín pào chá ba."
说："叔叔，水开了，您泡茶吧。"

Shūshu xīle jǐ kǒu yān, cóng tā de
叔叔吸了几口烟，从他的
bāo li náchū tā de dà chágāngzi, dǎkāi tā
包里拿出他的大茶缸子，打开他
de cháyètǒng, bǎ cháyè dào zài tā de shǒuxīn
的茶叶桶，把茶叶倒在他的手心
shàng, ránhòu yòu dào zài tā de chágāngzi li.
上，然后又倒在他的茶缸子里。
Wǒ zǎo jiù zài tā pángbiān děngzhe le. Tā
我早就在他旁边等着了。他
bǎ cháyè yí fàngdào chágāng li, wǒ jiù bǎ
把茶叶一放到茶缸里，我就把
kāishuǐ dào jìnqu le.
开水倒进去了。

Shūshu jīngqí de kànle wǒ yì
叔叔惊奇地看了我一
yǎn, ránhòu diǎndiǎn tóu. Tā náguò báidàguà
眼，然后点点头。他拿过白大褂
pī zài shēnshang, bǎ mòshuǐpíng hé chǔfāngjiān
披在身上，把墨水瓶和处方笺

1 **白大褂**: the white gown that doctors and nurses wear

nádào miànqián, jiù wèn Mèng Xǐxǐ: " Nǎli
拿到 面前，就 问 孟 喜喜："哪里
bù hǎo?"
不 好？"

Mèng Xǐxǐ yídòngle yíxià dèngzi, bǎ
孟 喜喜 移动了 一下 凳子，把
shēntǐ zhuǎn guòlai, yǔ shūshu miànduìmiàn de
身体 转 过来，与 叔叔 面对面 地
zuòzhe, gāng yào shuōhuà, mén wài chuánláile
坐着，刚 要 说话，门 外 传来了
kūjiào shēng: " Guǎn dàifu, Guǎn dàifu, kuài
哭叫 声："管 大夫，管 大夫，快
jiùjiù wǒ niáng ba ……"
救救 我 娘[1] 吧……"

Suízhe kūjiào shēng, mén bèi zhuàngkāi le.
随着 哭叫 声，门 被 撞开 了。
yí gè shēn chuān hēi yīfu de féipàng fùnǚ,
一 个 身 穿 黑 衣服 的 肥胖 妇女，
yíxiàzi chōngle jìnlai. Wǒ yíxiàzi jiù rèn
一下子 冲了 进来。我 一下子 就 认
chūlai le, tā shì zhènshang de Sūn Qīgū.
出来 了，她 是 镇上 的 孙 七姑。

Shūshu pāile yíxià zhuōzi, yànfán de
叔叔 拍了 一下 桌子，厌烦 地
shuō: " Nǐ jiào shénme? Nǐ niáng zěnme le?"
说："你 叫 什么？你 娘 怎么 了？"

Sūn Qīgū shuō: " Ǎn niáng bù hǎo le
孙 七姑 说："俺 娘 不 好 了
la ……"
啦……"

1 娘: mother.
In some areas, especially in the countryside in north China, mother is called 娘.

Shūshu wèn: "Zěnme la?"
叔叔问："怎么啦？"

Sūn Qīgū yòu dà shēng hǎn qǐlai: "Ǒutù, dùzi téng, ǎn nà liǎng gè dìdi yìdiǎn yě bù guǎn ǎn niáng."
孙七姑又大声喊起来："呕吐、肚子疼，俺那两个弟弟一点也不管俺娘。"

Shūshu shuō: "Táilái ba, wǒ kě bù chūqu kànbìng."
叔叔说："抬来吧，我可不出去看病。"

Sūn Qīgū shuō: "Jiù lái le, wǒ xiān lái gàosu nǐ yíxià."
孙七姑说："就来了，我先来告诉你一下。"

Zhè shí dàjiē shàng chuánlái yí gè nǚrén de hǎnjiàoshēng: "Téngsǐ la…… Qīnniáng a…… Téngsǐ la……"
这时大街上传来一个女人的喊叫声："疼死啦……亲娘啊……疼死啦……"

Sūn Qīgū de liǎng gè dìdi yòng yí kuài ménbǎn bǎ tāmen de mǔqin táidào yīyuàn mén qián, fàng zài xuědì shàng. Tāmen de mǔqin, shēncái shòucháng, tóufa huābái, bù tíng de
孙七姑的两个弟弟用一块门板把他们的母亲抬到医院门前，放在雪地上。他们的母亲，身材瘦长，头发花白，不停地

zuò qǐlái, dǎoxià, qǐlái, dǎoxià. Tā de
坐起来，倒下，起来，倒下。她的
érzi zhàn zài pángbiān kànzhe. Shūshu dà shēng
儿子站在旁边看着。叔叔大声
de shuō: "Tái jìnlai a, fàng zài wàibian gàn
地说："抬进来啊，放在外边干
shénme?"
什么？"

Sūn Qīgū de liǎng gè dìdi xiǎng bǎ ménbǎn
孙七姑的两个弟弟想把门板
tái jìnlai, kěshì zěnme yě tái bu jìnlai.
抬进来，可是怎么也抬不进来。
Shūshu shuō: "Fàngxià ménbǎn, tái rén."
叔叔说："放下门板，抬人。"

Liǎng gè dìdi, yí gè bàozhe tuǐ, yí
两个弟弟，一个抱着腿，一
gè bàozhe tóu, zhōngyú bǎ tāmen de mǔqin
个抱着头，终于把他们的母亲
táidàole bìngchuáng shàng. Shūshu hēle jǐ
抬到了病床上。叔叔喝了几
kǒu cháshuǐ, jiù kāishǐ gěi tā kànbìng. Zhè
口茶水，就开始给她看病。这
gè lǎo nǚrén hǎnjiàozhe: "Téngsǐ la, téngsǐ
个老女人喊叫着："疼死啦，疼死
la……"
啦……"

Shūshu yòng shǒu mōmō lǎo nǚrén de
叔叔用手摸摸老女人的
dùpí, "Sǐbuliǎo! Nǐ zhè shì lánwěiyán."
肚皮，"死不了！你这是阑尾炎[1]。"

1 **阑尾炎**: appendicitis
e.g. 这位医生正在给病人做阑尾炎手术。

Sūn Qīgū zháojí de wèn: "Néng zhìhǎo
孙七姑着急地问："能治好
ma?"
吗？"

Shūshu shuō: "Kāi yì dāo jiù hǎo le."
叔叔说："开一刀就好了。"

Sūn Qīgū de dà dìdi wèn: "Yào
孙七姑的大弟弟问："要
duōshao qián?"
多少钱？"

Shūshu shuō: "Wǔbǎi kuài qián."
叔叔说："五百块钱。"

Sūn Qīgū de èr dìdi jiēzhe shuō:
孙七姑的二弟弟接着说：
"Wǔbǎi ……"
"五百……"

Shūshu shuō: "Zhìbuzhì? Bú zhì gǎnkuài bǎ
叔叔说："治不治？不治赶快把
rén táizǒu."
人抬走。"

Sūn Qīgū gǎnmáng shuō: "Zhì zhì zhì!
孙七姑赶忙说："治治治！
Guǎn dàifu, kāidāo ba, qián hǎoshuō, tāmen
管大夫，开刀吧，钱好说，他们
bú fù qián, wǒ fù." Tā hěnhěn de kànzhe
不付钱，我付。"她狠狠地看着
liǎng gè dìdi, shuō: "Wǒmen jiù yí gè
两个弟弟，说："我们就一个
niáng, qián huāle hái néng zhèng, niáng méile
娘，钱花了还能挣，娘没了

jiù zhǎo bù huílai le ."
就找不回来了。"

Shūshu duì shěnshen shuō : " Zhǔnbèi zuò
叔叔对婶婶说："准备做

shǒushù ."
手术。"

Shěnshen yìbiān xǐzhe shǒu yìbiān shuō :
婶婶一边洗着手一边说：

" Zhèyàng de shǒushù , dàole shìli de yīyuàn ,
"这样的手术，到了市里的医院，

nǐmen děi huā sānqiān kuài ! "
你们得花三千块！"

Shūshu yòu hēle bàn gāngzi shuǐ , duì
叔叔又喝了半缸子水，对

Mèng Xǐxǐ diǎndiǎn tóu , ránhòu jiù xǐ shǒu .
孟喜喜点点头，然后就洗手。

Mèng Xǐxǐ hǎoxiàng xiǎng shuō shénme , dàn shénme
孟喜喜好像想说什么，但什么

yě méi shuō .
也没说。

Shǒushùshì li , xiān shì chuánchūle
手术室里，先是传出了

dà shēng de hǎnjiào , yíhuìr jiù méiyǒu
大声的喊叫，一会儿就没有

shēngyīn le . Sūn jiā de liǎng gè érzi dūn
声音了。孙家的两个儿子蹲[1]

zài lúzi pángbiān , bù tíng de xīyān . Wūzi
在炉子旁边，不停地吸烟。屋子

li de wèidào hěn nánwén . Mèng Xǐxǐ de
里的味道很难闻。孟喜喜的

1 **蹲**: to squat
e.g. 这些小孩蹲着做游戏，大人们站在旁边看着。

yàngzi shífēn tòngkǔ, dàn tā de shēntǐ háishi
样子十分痛苦，但她的身体还是
zuò de hěn zhí, zhǐshì liǎng zhī shǒu bù tíng de
坐得很直，只是两只手不停地
dòngzhe, yíhuìr ànzhe dàyī hé wéijīn,
动着，一会儿按着大衣和围巾，
yíhuìr yòu sōngkāi.
一会儿又松开。

Wǒ guānxīn de wèn tā: "Nǐ téng ma?"
我关心地问她："你疼吗？"

Tā xiānshi diǎntóu, ránhòu yòu yáotóu. Wǒ
她先是点头，然后又摇头。我
kànjianle tā yǎnjing li de lèishuǐ, wǒ nánguò
看见了她眼睛里的泪水，我难过
jí le. Wǒ tīngdào tā xiǎo shēng shuō: "Qiú nǐ
极了。我听到她小声说："求你
le …… bǎ mén dǎkāi ……"
了……把门打开……"

Wǒ lākāi mén, xuěhuā hé hánfēng piāole
我拉开门，雪花和寒风飘了
jìnlai. Mèng Xǐxǐ zhāngkāi zuǐ, hūxīzhe
进来。孟喜喜张开嘴，呼吸[1]着
xīnxiān kōngqì.
新鲜空气。

Wǒ bǎ zìjǐ pào fāngbiànmiàn de wǎn
我把自己泡方便面的碗
xǐle xǐ, dàole bàn wǎn kāishuǐ, duāngěi Mèng
洗了洗，倒了半碗开水，端给孟
Xǐxǐ, shuō: "Hē diǎn shuǐ ba!"
喜喜，说："喝点水吧！"

1 **呼吸**: to breathe
e.g. 这个病人病得很重，呼吸都困难了。

Tā yáoyáo tóu, jiānnán de xiàole yíxià, dī shēng shuō: "Xièxie."
她摇摇头，艰难地笑了一下，低声说："谢谢。"

Wǒ yíhuìr tīngting lǐbian, yíhuìr cóng ménfèng wǎng lǐwū kànkan, shífēn zháojí, xīnli xiǎngzhe shūshu kuài diǎn bǎ shǒushù zuòwán, kuài diǎn gěi Mèng Xǐxǐ kànbìng.
我一会儿听听里边，一会儿从门缝[1]往里屋看看，十分着急，心里想着叔叔快点把手术做完，快点给孟喜喜看病。

Shǒushù zhōngyú zuòwán le.
手术终于做完了。

Shěnshen yě zǒu chūlai le, yànfán de duì Sūn jiā de jiědì shuō: "Táizǒu, táizǒu, xiàwǔ bǎ qián sòng guòlai."
婶婶也走出来了，厌烦地对孙家的姐弟说："抬走，抬走，下午把钱送过来。"

Tāmen zhōngyú zǒu le. Shūshu huànle yīfu, xīle yān, hēgòule cháshuǐ, zhǔnbèi wèi Mèng Xǐxǐ kànbìng. Zhè shíhou, yí gè gāodà de nánrén tūrán zhuàng jìnlai le. Tā shuāngshǒu wǔzhe liǎn.
他们终于走了。叔叔换了衣服，吸了烟，喝够了茶水，准备为孟喜喜看病。这时候，一个高大的男人突然撞进来了。他双手捂着脸。

1 **门缝**: chink in the door

Tā hǎnjiàozhe: "Jiùjiù wǒ ba, Guǎn dàifu."
他喊叫着："救救我吧，管大夫。"

Shūshu wèn: "Zěnme la?"
叔叔问："怎么啦？"

Nà rén bǎ shǒu nákāi, tā mǎnliǎn shì xuè, yì zhī yǎnqiú guàzhe. Tā yòu gǎnmáng bǎ liǎn wǔshàng, hǎoxiàng pà biéren kànjian shìde.
那人把手拿开，他满脸是血，一只眼球[1]挂着。他又赶忙把脸捂上，好像怕别人看见似的。

Wǒ rènchū tā lái le, tā jiào Mǎ Kuí. Tā shì zuò yānhuā bàozhú de.
我认出他来了，他叫马奎。他是做烟花爆竹[2]的。

Tā yìbiān kū yìbiān shuō: "Jīntiān zhēn dǎoméi, wǒ xiǎng zài xiàxuětiān zuò shíyàn, méi xiǎngdào bǎ wǒ de yǎnjing zhà le."
他一边哭一边说："今天真倒霉[3]，我想在下雪天做实验[4]，没想到把我的眼睛炸[5]了。"

Shūshu hěnhěn de shuō: "Huógāi!"
叔叔狠狠地说："活该[6]！"

Mǎ Kuí kūhǎnzhe shuō: "Jiùjiù wǒ ba, wǒ jiāli hái yǒu yí gè bāshí suì de lǎoniáng……"
马奎哭喊着说："救救我吧，我家里还有一个八十岁的老娘……"

1 **眼球**: eyeball

2 **烟花爆竹**: fireworks and firecrackers

e.g. 过春节的时候，人们喜欢放烟花爆竹。

3 **倒霉**: bad luck

e.g. 今天真倒霉，自行车丢了，出门真不方便。

4 **做实验**: do experiment

e.g. 这个月我很忙，我要做两个重要的实验。

5 **炸**: to explode; to blast

e.g. 这里要新盖一座商场，旧楼被炸掉了。

6 **活该**: serve one right

e.g. 你喝酒太多，身体不好，活该！

Shūshu shuō: "Zhè yǔ nǐ de lǎoniáng yǒu shénme guānxi?" Ránhòu hěn kuài de zhàn qǐlai, qù xǐ shǒu.

叔叔说："这与你的老娘有什么关系？"然后很快地站起来，去洗手。

Shěnshen bǎ Mǎ Kuí fújìnle shǒushùshì, shūshu yě jìnqu le. Tā yòu méi gěi Mèng Xǐxǐ kànbìng.

婶婶把马奎扶进了手术室，叔叔也进去了。他又没给孟喜喜看病。

Wǒ xīnli duì shūshu hěn bù mǎnyì. Wǒ juéde shūshu hǎoxiàng shì gùyì bù gěi Mèng Xǐxǐ kànbìng. Tā shì wánquán yǒu shíjiān gěi Mèng Xǐxǐ kànbìng de.

我心里对叔叔很不满意。我觉得叔叔好像是故意不给孟喜喜看病。他是完全有时间给孟喜喜看病的。

Mèng Xǐxǐ kàn chūlai le. Dāng wǒ kànzhe tā shí, tā xiàng wǒ yáoyáo tóu, hǎoxiàng zài gàosu wǒ, tā lǐjiě wǒ shūshu. Wǒ huànle yì wǎn rèshuǐ ràng tā hē, tā yáoyáo tóu. Wǒ ràng tā dào lǐmiàn de chuángshang qù tǎng

孟喜喜看出来了。当我看着她时，她向我摇摇头，好像在告诉我，她理解[1]我叔叔。我换了一碗热水让她喝，她摇摇头。我让她到里面的床上去躺

1 **理解**: to understand
e.g. 他没有理解这篇课文，他又请老师给他讲了一遍。

yíxià , tā háishi yáoyáo tóu .
一下，她还是摇摇头。

Mǎ Kuí zài shǒushùshì li bù tíng de jiàohǎn . Wǒ kànle yíxià shíjiān , yǐjīng kuài shí'èr diǎn le . Wǒ gāi qù mǎi héfàn le , dàn jīntiān wǒ xīnli hěn luàn , yìdiǎn yě bú è . Wǒ wèn Mèng Xǐxǐ : " Nǐ è ma ? Wǒ qù mǎi gè héfàn gěi nǐ chī ? "
马奎在手术室里不停地叫喊。我看了一下时间，已经快十二点了。我该去买盒饭了，但今天我心里很乱，一点也不饿。我问孟喜喜：“你饿吗？我去买个盒饭给你吃？”

Tā háishi qīngqīng de yáoyáo tóu .
她还是轻轻地摇摇头。

Wǒ kàndào tā de liǎnshang yǐjīng méiyǒule hànshuǐ , liǎnsè fāhuáng , zuǐchún fāqīng , nà shuāng míngliàng de yǎnjing yě biànde àndàn le . Zài wǒ de jìyì li , tā yǒngyuǎn shéncǎi fēiyáng , tā de shēngyīn yǒngyuǎn qīngcuì liáoliàng . Kě xiànzài tā què zhèyàng wúshēng , tòngkǔ de xiàozhe .
我看到她的脸上已经没有了汗水，脸色发黄，嘴唇发青，那双明亮的眼睛也变得暗淡[1]了。在我的记忆里，她永远神采飞扬[2]，她的声音永远清脆嘹亮[3]。可现在她却这样无声、痛苦地笑着。

Tā zhǐnéng zhèyàng qīngqīng de yáotóu .
她只能这样轻轻地摇头。

1 **暗淡**: dismal; dim; faint
e.g. 这里灯光暗淡，别在这里看书。

2 **神采飞扬**: be in fine fettle
e.g. 今天他非常高兴，说起话来神采飞扬。

3 **清脆嘹亮**: clear; melodious; loud
e.g. 他的歌声清脆嘹亮。

Wàimian de dàxuě bù zhīdao shénme shíhou tíng le, fēng yě xiǎole xǔduō. Tàiyáng chūlai le, wǒmen de fángjiān li yípiàn míngliàng.

外面的大雪不知道什么时候停了，风也小了许多。太阳出来了，我们的房间里一片明亮。

Wǒ duì tā shuō: "Xuě tíng le, tàiyáng chūlai le."

我对她说："雪停了，太阳出来了。"

Tā méiyǒu diǎntóu, yě méiyǒu yáotóu, gèng méiyǒu huídá. Wǒ tūrán fāxiàn, tā de liǎn biànde xiàng bīng yíyàng de tòumíng. Wǒ dà hǎn yì shēng: "Xǐxǐ!"

她没有点头，也没有摇头，更没有回答。我突然发现，她的脸变得像冰一样的透明[1]。我大喊一声："喜喜！"

Tā méiyǒu yìdiǎn fǎnyìng. Wǒ pǎo shàngqu, pāipāi tā de jiāntóu, tā hǎoxiàng shénme yě méi tīngjian, ránhòu tā de tóu dǎoxiàngle yìbiān.

她没有一点反应。我跑上去，拍拍她的肩头，她好像什么也没听见，然后她的头倒向了一边。

Wǒ zhuàngkāi shǒushùshì de mén, dà shēng de hǎnzhe: "Shūshu, shūshu!"

我撞开手术室的门，大声地喊着："叔叔，叔叔！"

1 **透明**: transparent
e.g. 这个玻璃杯不透明，我不喜欢。

Shūshu yànfán de wèn: "Hǎn shénme?"
叔叔厌烦地问："喊什么？"

"Mèng Xǐxǐ tā …… Dàgài shì sǐ le ……" Wǒ shuōzhe, kūle chūlai.
"孟喜喜她……大概是死了……"我说着，哭了出来。

Shūshu gǎnkuài chōngle chūlai, guì zài Mèng Xǐxǐ miànqián, kànkan tā de bíxī, mōmō tā de mài, kànle tā de yǎnjiǎn.
叔叔赶快冲了出来，跪在孟喜喜面前，看看她的鼻息[1]，摸摸她的脉，看了她的眼睑[2]。

Shūshu gěi tā zhùshèle qiángxīnzhēn, shūshu yòng quántou měng jī tā de xīnzàng, shūshu yòng diànxiàn chùjī tā de xīnzàng. Zuìhòu shūshu jǔsàng de zhàn qǐlai.
叔叔给她注射了强心针[3]，叔叔用拳头猛击她的心脏[4]，叔叔用电线触击[5]她的心脏。最后叔叔沮丧[6]地站起来。

1 **鼻息**: breath
2 **眼睑**: eyelid
3 **强心针**: cardiac stimulant
4 **心脏**: heart
5 **触击**: touch
6 **沮丧**: depressed; dejected
e.g. 这次考试他又没考好，心情沮丧。

This story is an abridged version of Mo Yan's short story *The Beauty of Ice and Snow*, which was published on *Fiction Monthly* (小说月报), No.1, 2001. It won the eleventh Baihua Award (百花奖).

## About the Author Mo Yan (莫言):

Mo Yan is the pen name for Guan Moye (管谟业), one of the most celebrated contemporary writers in China. Mo Yan was born in a farmer's family in Shandong Province in eastern China in 1955, which he fictionalizes as Northeast Gaomi (高密) County. He joined the Army in 1976. He studied in the Art College of the Chinese People's Liberation Army and in the postgraduate class of Lu Xun Literature College. He is a member of the Chinese Writers' Association. He began to publish his works in 1981. Mo Yan became famous for his second book 红高粱 , which also propelled actress Gong Li to international stardom after it was made into a film by Zhang Yimou, a famous Chinese film director. Mo Yan is a prolific writer. His novels include 酒国 , 天堂蒜薹之歌 , 莫言文集 (5 volumes), 红高粱家族 , 丰乳肥臀 , 红树林 , 透明的红萝卜 , 红高粱 and his short stories include 拇指铐 , 师傅越来越幽默 ,

etc. His novella 牛 and short story 沈园 have won the eighth and ninth Baihua Awards (百花奖) of *Fiction Monthly* (小说月报), respectively. He has won many prizes at home and abroad. The film 红高粱 , having won the Golden Bear Prize at the Berlin International Film Festival (1988), aroused worldwide interest in Chinese films. The film 太阳有耳 won the Silver Bear Award at the Berlin International Film Festival (1996). In 2012, he was awarded the Nobel Prize in Literature. His works have been translated into many languages.

## 思考题：

1. 故事中的白马镇很偏远，现在开始发展了旅游业，但是人们的思想怎样呢？
2. 孟喜喜为什么退学了？
3. 镇上的人们为什么说孟喜喜的闲话？你是怎么认为的？
4. 孟喜喜是一个什么性格的女孩？
5. 孟喜喜很漂亮，是白马镇上的美人。你是怎么理解故事的标题“冰雪美人”的？
6. 白马镇的人们真正地理解了孟喜喜的“美丽”吗？

# Liù , Àiqíng Gùshi
# 六、爱情故事

Yuánzhù : Yú Huá
原著：余华

# 六、爱情故事

## Guide to reading:

This love story is not a traditional one like Shakespeare's Romeo and Juliet or the Chinese Liang Shanbo and Zhu Yingtai (梁山伯与祝英台, also known as the Butterfly Lovers). What is love? What is marriage? Everybody has a different answer. The following selection, *Love Story*, is the story of a couple whose relationship has a long history. In the 1970s, two teenagers fell in love, giving in to their budding passion for one another. More than ten years later, they got married. But as with many marriages, their experience turns out to be less than ideal. Nowadays in China, the ideas of love and marriage amongst the younger generations are not as that of traditional as the older generations. People's beliefs about marriage has changed a lot and more and more people are now getting divorced. Perhaps this story reveals one of the reasons for divorce in modern society.

## 故事正文：

Zhè shì 1977 nián de qiūtiān. Liǎng gè 16 suì de shàonián zhǔnbèi qù 40 lǐ yǐwài de yì jiā yīyuàn. Nánhái péizhe nǚhái qù jiǎnchá shēntǐ. Tāmen yào qù yīyuàn jiǎnchá nǚhái shìbushì huáiyùn le. Tāmen tōutōu de liàn'ài le. Tāmen zài xuéxiào de xiàoyuán li yòu tōutōu zuòle nánhái hé nǚhái bù gǎn zuò de shì. Tāmen shífēn kǒngjù.

这是1977年的秋天。两个16岁的少年[1]准备去40里以外的一家医院。男孩陪着女孩去检查身体[2]。他们要去医院检查女孩是不是怀孕[3]了。他们偷偷[4]地恋爱了。他们在学校的校园里又偷偷做了男孩和女孩不敢做的事。他们十分恐惧[5]。

Nà tiān de tiānqì fēicháng hǎo. Zài gōnggòng qìchēzhàn, nánhái dào chēzhàn li mǎi piào, nǚhái zài chēzhàn wàimian duǒzhe, pà shúrén kànjian. Tāmen hàipà biéren zhīdao tāmen yào qù de dìfang. Chēzhàn wàimian dàochù

那天的天气非常好。在公共汽车站，男孩到车站里买票，女孩在车站外面躲着，怕熟人[6]看见。他们害怕[7]别人知道他们要去的地方。车站外面到处

1 **少年**: youngster
e.g. 有几个少年正在足球场上踢足球。

2 **检查身体**: have a health check
e.g. 这个大学每年都要给老师们做一次身体检查。

3 **怀孕**: be pregnant
e.g. 医生告诉她怀孕了，她非常激动，她要当妈妈了。

4 **偷偷**: stealthily; secretly
e.g. 在人们没有注意的时候，她偷偷地走了。

5 **恐惧**: to fear; to dread
e.g. 她一个人住在这座大房子里，感到非常恐惧。

6 **熟人**: acquaintance
e.g. 今天他在书店里遇见了一个熟人。

7 **害怕**: be scared
e.g. 在这么多人面前讲话，他一点儿也不害怕。

shì tǔ, qiūtiān de shùyè piāoluò zài dìshang.
是土，秋天的树叶飘落在地上。
Nǚhái jìngjìng de kànzhe qìchēzhàn de xiǎo mén,
女孩静静地看着汽车站的小门，
tā de mùguāng hěn píngjìng.
她的目光很平静[1]。

Nánhái cóng chēzhàn zǒule chūlai, tā de
男孩从车站走了出来，他的
liǎnsè hěn bù hǎo. Tā zhīdao nǚhái duǒ zài
脸色很不好。他知道女孩躲在
nǎr, dànshì tā méiyǒu kàn tā. Tā xiàng
哪儿，但是他没有看她。他向
yí zuò qiáo zǒule guòqu, hěn jǐnzhāng de zuǒ
一座桥走了过去，很紧张地左
kàn yòu kàn. Tā zǒudào qiáo shàng, zhànzhule
看右看。他走到桥上，站住了
jiǎo, ránhòu xiàng nǚhái wàngle yì yǎn. Tā
脚，然后向女孩望了一眼。他
kàndào nǚhái zhèng kànzhe tā, tā bù xiǎng
看到女孩正看着他，他不想
kàn tā. Tā shēngqì de zhuǎnguò liǎn qù. Tā
看她。他生气地转过脸去。他
yìzhí zhàn zài qiáo shàng, méiyǒu kàn tā.
一直站在桥上，没有看她。
Hòulái nánhái kàndào zhōuwéi méiyǒu shúrén, cái
后来男孩看到周围没有熟人，才
xiàng nǚhái zǒu guòqu. Tā zǒu guòqu de
向女孩走过去。他走过去的
shíhou, hěn jīnghuāng. Nǚhái hěn píngjìng. Tā
时候，很惊慌[2]。女孩很平静。她

1 **平静**: calm; quiet
e.g.他喜欢读书、写作这种平静的生活。
2 **惊慌**: to frighten; scared
e.g.这个小偷被人发现后，惊慌地逃跑了。

kàndào zhè gè shàonián zài yángguāng li zǒulái
看到这个少年在阳光里走来
shí, tā nèixīn yǒuxiē jīdòng, tā de liǎnshang
时，她内心有些激动，她的脸上
chūxiànle xiàoróng. Tā zǒudào tā shēnpáng, duì
出现了笑容。他走到她身旁，对
tā de xiàoróng hěn shēngqì. Tā xiǎo shēng shuō:
她的笑容很生气。他小声说：
"Zhè shíhou nǐ hái xiào?"
"这时候你还笑？"

Nǚhái liǎnshang de xiàoróng méiyǒu le.
女孩脸上的笑容没有了。
Tā yǒuxiē jǐnzhāng de wàngzhe tā. Nánhái
她有些紧张地望着他。男孩
shuō: "Wǒ gēn nǐ shuōguo hěn duō cì le, nǐ
说："我跟你说过很多次了，你
búyào kàn wǒ, nǐ yào jiǎzhuāng bú rènshi
不要看我，你要假装[1]不认识
wǒ. Nǐ wèi shénme kàn wǒ? Zhēn tǎoyàn."
我。你为什么看我？真讨厌[2]。"
Nǚhái méi shuōhuà. Tā kànzhe dìshang de yí
女孩没说话。她看着地上的一
piàn huáng shùyè. Nánhái gàosu tā: "Shàng
片黄树叶。男孩告诉她："上
gōnggòng qìchē yǐhòu, nǐ xiān zhǎodào zuòwèi
公共汽车以后，你先找到座位
zuòxià. Rúguǒ méiyǒu shúrén, wǒ jiù zuòdào
坐下。如果没有熟人，我就坐到
nǐ pángbiān. Rúguǒ yǒu shúrén, wǒ jiù zhàn
你旁边。如果有熟人，我就站

1 **假装**: to pretend
e.g. 他妈妈让他去厨房洗碗，他假装没听见。

2 **讨厌**: to hate; annoying
e.g. 他很讨厌这里的夏天，太热了。

zài chēmén pángbiān. Jìzhù, wǒmen búyào
在 车门 旁边。记住，我们 不要
shuōhuà." Nánhái bǎ chēpiào gěile nǚhái,
说话。”男孩 把 车票 给了 女孩，
ránhòu, nánhái jiù zǒukāi le.
然后，男孩 就 走开 了。

Tāmen shàngle yí liàng pòjiù de gōnggòng
他们 上了 一 辆 破旧 的 公共
qìchē. Nánhái shì zuìhòu yí gè shàngchē de.
汽车。男孩 是 最后 一 个 上车 的。
Tā zhàn zài qìchē mén pángbiān, méiyǒu zǒuxiàng
他 站 在 汽车 门 旁边，没有 走向
tā de zuòwèi. Gōnggòng qìchē zài pòjiù de
他 的 座位。公共 汽车 在 破旧 的
gōnglù shàng yáoyáobǎibǎi. Hòulái nǚhái jiào tā,
公路 上 摇摇摆摆。后来 女孩 叫 他，
nǚhái de shēngyīn shǐ tā fēicháng kǒngjù. Nánhái
女孩 的 声音 使 他 非常 恐惧。男孩
fēicháng tǎoyàn nǚhái. Kěshì, tā bù tíng de
非常 讨厌 女孩。可是，她 不 停 地
jiào tā. Nánhái zhǐhǎo zhuǎnguò tóu qù, tā de
叫 他。男孩 只好 转过 头 去，他 的
liǎnsè fēicháng nánkàn. Ránhòu nǚhái ràng tā zuò
脸色 非常 难看。然后 女孩 让 他 坐
zài pángbiān de kòng zuòwei shàng. Nánhái zài tā
在 旁边 的 空 座位 上。男孩 在 她
shēnpáng zuòxià yǐhòu, gǎndào nǚhái gùyì de
身旁 坐下 以后，感到 女孩 故意 地
bǎ shēntǐ kàojìn tā. Nǚhái shuōle hěn duō huà,
把 身体 靠近 他。女孩 说了 很 多 话，

kě nánhái shénme yě méi tīng jìnqu .
可男孩什么也没听进去。

Qìchē dào chēzhàn le . Dàgài jǐ
汽车到车站了。大概几
fēnzhōng yǐhòu , liǎng gè shàonián cóng chēzhàn zǒule
分钟以后，两个少年从车站走了
chūlai . Tāmen xiàng yīyuàn zǒuqù . Ránhòu
出来。他们向医院走去。然后
tāmen láidàole yīyuàn de guàhàochù chuāngkǒu ,
他们来到了医院的挂号处[1]窗口，
guàhàochù pángbiān méiyǒu rén . Nánhái tūrán hàipà
挂号处旁边没有人。男孩突然害怕
qǐlai , tā tūrán hàipà bèi rén zhuāzhù . Nánhái
起来，他突然害怕被人抓住。男孩
zǒuchū yīyuàn , zhàn zài wàimian . Nǚhái yě zǒu
走出医院，站在外面。女孩也走
chūlai le . Nánhái gàosu tā : tā jìxù péi
出来了。男孩告诉她：他继续陪[2]
tā hěn wēixiǎn , biéren hěn róngyì kànchū zhè
她很危险，别人很容易看出这
liǎng gè shàonián gànle shénme huàishì . Tā shuō :
两个少年干了什么坏事。他说：
" Nǐ yí gè rén jìnqu ba . " Nǚhái tóngyì le ,
“你一个人进去吧。”女孩同意了，
diǎnle diǎntóu , jiù zìjǐ zǒule jìnqu . Nánhái
点了点头，就自己走了进去。男孩
kànzhe tā zǒudào guàhàochù de chuāngkǒu , tā
看着她走到挂号处的窗口，她
yìdiǎn yě bù jǐnzhāng . Nánhái tīngdào nǚhái shuōle
一点也不紧张。男孩听到女孩说了

1 **挂号处**: the registration office
e.g. 到医院看病，要到挂号处先挂号。

2 **陪**: to accompany
e.g. 今天上午我要陪朋友去商店买衣服。

zìjǐ de míngzi, shuō tā èrshí suì le. Míngzi
自己的名字，说她二十岁了。名字
shì jiǎ de, niánlíng yě shì jiǎ de. Ránhòu tā
是假的，年龄也是假的。然后他
tīngdào nǚhái shuō "fùkē". "Fùkē" zhè liǎng
听到女孩说“妇科”[1]。“妇科”这两
gè zì shǐ tā fēicháng hàipà. Ránhòu, nǚhái
个字使他非常害怕。然后，女孩
líkāi chuāngkǒu zhuǎnshēn kànle nánhái yì yǎn,
离开窗口转身看了男孩一眼，
shànglóu qù le.
上楼去了。

Nánhái yìzhí kànzhe tā. Tā de xīnqíng
男孩一直看着她。他的心情
hěn chénzhòng. Tā wàngzhe dàjiē. Tā zài
很沉重。[2]他望着大街。他在
yīyuàn wàimian děngzhe nǚhái. Tā zài
医院外面等着女孩。他在
nàli zhànle hěn cháng yí duàn shíjiān, kěshì
那里站了很长一段时间，可是
nǚhái yìzhí méiyǒu xià lóu lái. Tā yòu hàipà
女孩一直没有下楼来。他又害怕
qǐlai, tā juéde zìjǐ zuò de shì yǐjīng bèi
起来，他觉得自己做的事已经被
biéren zhīdao le. Tā juédìng gǎnkuài líkāi zhè
别人知道了。他决定赶快离开这
gè dìfang, jiù wǎng dàjiē de duìmiàn zǒuqù.
个地方，就往大街的对面走去。
Tā chuānguò jiēdào yǐhòu, zǒujìnle yì jiā
他穿过街道以后，走进了一家

1 妇科: gynecology
2 他的心情很沉重: He is in gloomy mood.

shāngdiàn .
商店。

Guòle yíhuìr , nǚhái chūxiàn zài
过了一会儿，女孩出现在
jiē duìmiàn . Tā zhàn zài yì kē shù pángbiān ,
街对面。她站在一棵树旁边，
yǒuxiē zháojí , tā zài zhǎo nánhái . Nánhái
有些着急，她在找男孩。男孩
cóng shāngdiàn de chuāngzi kàndàole tā . Tā
从商店的窗子看到了她。他
kàndào nǚhái shēnhòu méiyǒu kěyí de rén ,
看到女孩身后没有可疑[1]的人，
jiù mǎshàng zǒuchū shāngdiàn . Tā zài chuānguò
就马上走出商店。他在穿过
jiēdào shí , nǚhái kàndàole tā . Děng nánhái
街道时，女孩看到了他。等男孩
zǒu guòlai zhīhòu , nǚhái xiàng tā kǔxiàole
走过来之后，女孩向他苦笑[2]了
yíxià , dī shēng shuō : " Wǒ huáiyùn le . "
一下，低声说："我怀孕了。"
Nánhái xiàng mùtou yíyàng zhàn zài nàli , hěn
男孩像木头一样站在那里，很
cháng shíjiān méiyǒu dòng . Tā kànzhe nǚhái ,
长时间没有动。他看着女孩，
wèn : " Zěnme bàn ne ? "
问："怎么办呢？"

Nǚhái qīng shēng de shuō : " Wǒ bù zhīdao . "
女孩轻声地说："我不知道。"
Nánhái jìxù wèn : " Zěnme bàn ne ?
男孩继续问："怎么办呢？

1 **可疑**: suspicious
e.g. 这个人很可疑，他总是注意别人的提包。

2 **苦笑**: smile sadly
e.g. 他和女朋友分手了。朋友问他为什么，他只是苦笑，没有回答。

Nǚhái shuō: "Bié qù xiǎng zhèxiē le,
女孩说:"别去想这些了,
wǒmen qù nàxiē shāngdiàn kànkan ba."
我们去那些商店看看吧。"

Nánhái shuō: "Wǒ bù xiǎng qù."
男孩说:"我不想去。"

Nǚhái búzài shuōhuà, tā kànzhe dàjiē
女孩不再说话,她看着大街
shàng de qìchē. Tāmen chuānguòle jiēdào.
上的汽车。他们穿过了街道。

Nǚhái zàicì shuō: "Qù shāngdiàn kànkan
女孩再次说:"去商店看看
ba." Nánhái háishi shuō: "Wǒ bù xiǎng qù."
吧。"男孩还是说:"我不想去。"

Tāmen yìzhí zhàn zài nàli. Hěn jiǔ
他们一直站在那里。很久
yǐhòu nánhái cái shuō: "Wǒmen huíqu ba."
以后男孩才说:"我们回去吧。"
Nǚhái diǎndiǎn tóu. Ránhòu tāmen wǎng huí zǒu.
女孩点点头。然后他们往回走。
Méi zǒu duō yuǎn, zài yì jiā shāngdiàn qiánmian,
没走多远,在一家商店前面,
nǚhái zhànzhule jiǎo, tā yòu duì nánhái shuō:
女孩站住了脚,她又对男孩说:
"Wǒmen jìnqu kànkan ba."
"我们进去看看吧。"

Nánhái xiǎngle yíhuìr, jiù hé tā
男孩想了一会儿,就和她
yìqǐ zǒujìn shāngdiàn. Tāmen kàndào yì tiáo
一起走进商店。他们看到一条

báisè de qúnzi, nǚhái yìzhí kànzhe zhè tiáo
白色的裙子，女孩一直看着这条
qúnzi. Tā gàosu nánhái: “Wǒ hěn xǐhuan zhè
裙子。她告诉男孩：“我很喜欢这
tiáo qúnzi.”
条裙子。”

Nánhái xīnli hàipà. Tā xiǎng,
男孩心里害怕。他想，
rúguǒ rénmen zhīdaole tāmen zuò de shìqing,
如果人们知道了他们做的事情，
rénmen huì dàochù qù shuō, tāmen jiāli yě
人们会到处去说，他们家里也
huì chéngfá tāmen. Tāmen jiù méiyǒu bànfǎ
会惩罚[1]他们。他们就没有办法
shēnghuó xiàqu le. Nánhái yuè xiǎng yuè hàipà.
生活下去了。男孩越想越害怕。
Tā xiǎng táolí, zìshā. Kěshì nǚhái què
他想逃离[2]、自杀[3]。可是女孩却
yìzhí hěn píngjìng.
一直很平静。

Tāmen de àiqíng cóng 16 suì shí kāishǐ.
他们的爱情从16岁时开始。
Tāmen jīnglìle hěn duō. Shí duō nián guòqu
他们经历了很多。十多年过去
le, nánhái yǐjīng chéngwéi tā de zhàngfu. Zhè
了，男孩已经成为她的丈夫。这
gè nǚhái kuài 30 suì le. Tāmen jiéhūn hěn
个女孩快30岁了。他们结婚很
duō nián le. Xiànzài tāmen miànduìmiàn de zuò
多年了。现在他们面对面地坐

1 **惩罚**: to punish
e.g. 她骗了很多人的钱，最后被警察抓住了，受到了惩罚。
2 **逃离**: get away from; to flee
e.g. 他偷了一辆汽车，逃离了这个城市。
3 **自杀**: to suicide
e.g. 电影中的这个女孩为了爱情自杀了。

zài yì jiān hūnhuáng de wūzi li , zhè shì
在一间昏黄[1]的屋子里，这是
tāmen de jiā . Tā zuò zài chuāng qián de yì
他们的家。她坐在窗前的一
bǎ yǐzi shàng , zhèngzài zhīzhe yì tiáo lánsè
把椅子上，正在织着一条蓝色
de wéijīn .
的围巾[2]。

Tā zhàngfu jiù shì yǐqián mǎi qìchēpiào
她丈夫就是以前买汽车票
de nà gè nánhái . Zài 1977 nián de
的那个男孩。在1977年的
qiūtiān , tā péi nǚhái yìqǐ qùle nà gè
秋天，他陪女孩一起去了那个
40 lǐ yǐwài de yīyuàn . Tāmen zài 5 suì
40里以外的医院。他们在5岁
de shíhou jiù rènshi le . Tāmen kuài dào 16
的时候就认识了。他们快到16
suì de shíhou liàn'ài le , yǒule dì-yī cì
岁的时候恋爱了，有了第一次
xìngxíngwéi . Tā dì-yī cì huáiyùn yě shì zài
性行为[3]。她第一次怀孕也是在
nà shíhou .
那时候。

Xiànzài zhàngfu juéde tāmen de shēnghuó
现在丈夫觉得他们的生活
méiyǒu yìsi . Tā juéde tāmen zài yìqǐ de
没有意思。他觉得他们在一起的
shíjiān tài cháng le . Tā tiāntiān kànzhe qīzi ,
时间太长了。他天天看着妻子，

1 昏黄: dimly lit
2 正在织着一条蓝色的围巾: knitting a blue scarf
3 性行为: sex

zuòzhe tóngyàng de shìqing . Tā duì shēnghuó
做着 同样 的 事情。他 对 生活

méiyǒule jīqíng . Tā juéde , zuì dà de
没有了 激情[1]。他 觉得，最 大 的

cuòwù jiùshì zài jiéhūn de shíhou , tā méiyǒu
错误 就是 在 结婚 的 时候，他 没有

xiǎngdào tāmen yào yǒngyuǎn de zài yìqǐ . Tā
想到 他们 要 永远 地 在 一起。他

juéde tā de shēnghuó biàn de yuèláiyuè chénjiù .
觉得 他 的 生活 变 得 越来越 陈旧[2]。

Tā bù xiǎng bǎ zhè zhǒng chénjiù de shēnghuó
他 不 想 把 这 种 陈旧 的 生活

jìxù xiàqu le .
继续 下去 了。

Zhàngfu chángcháng xiàng qīzi jiěshì :
丈夫 常常 向 妻子 解释：

" Wǒmen wǔ suì jiù rènshi le . Zhè zhǒng
“我们 五 岁 就 认识 了。这 种

qīngméi-zhúmǎ de àiqíng shì hěn kěpà de . "
青梅竹马[3] 的 爱情 是 很 可怕[4] 的。”

Zhàngfu yí cì yòu yí cì de wèn
丈夫 一 次 又 一 次 地 问

qīzi : " Nándào nǐ bù juéde wǒ tài shúxī
妻子：“难道 你 不 觉得 我 太 熟悉

le ma ? "
了 吗？”

Dànshì qīzi zǒngshì hěn mímáng de
但是 妻子 总是 很 迷茫[5] 地

kànzhe tā .
看着 他。

1 **激情**: passion; enthusiasm
e.g. 他对写小说很有激情。

2 **陈旧**: old; outdated
e.g. 房间里的东西很陈旧，很多年都没人住了。

3 **青梅竹马**: a boy and a girl who once played innocently together during their childhood

4 **可怕**: fearful
e.g. 他发脾气的样子很可怕。

5 **迷茫**: confused
e.g. 他对他的前途感到迷茫。

Zhàngfu jìxù shuō: "Wǒmen cóng 5 suì
丈夫 继续 说："我们 从 5 岁
de shíhou jiù rènshi le, èrshí duō nián hòu
的 时候 就 认识 了，二十 多 年 后
wǒmen hái zài yìqǐ. Wǒmen de shēnghuó néng
我们 还 在 一起。我们 的 生活 能
fāshēng shénme biànhuà ne? Wǒmen de shēnghuó
发生 什么 变化 呢？我们 的 生活
zěnme huì yǒu jīqíng ne?"
怎么 会 有 激情 呢？"

Qīzi tīngle zhàngfu de huà yǐhòu,
妻子 听了 丈夫 的 话 以后，
zǒngshì gǎndào yǒuxiē huāngluàn.
总是 感到 有些 慌乱。

Zhàngfu jìxù shuō: "Wǒ duì nǐ tài liǎojiě
丈夫 继续 说："我 对 你 太 了解
le, jiù xiàng yì zhāng tiē zài qiáng shang de
了，就 像 一 张 贴 在 墙 上 的
báizhǐ yíyàng. Nǐ duì wǒ yě shì tóngyàng."
白纸 一样。你 对 我 也 是 同样。"

Qīzi kū le.
妻子 哭 了。

Zhàngfu jiēzhe shuō: "Wǒmen zài
丈夫 接着 说："我们 在
yìqǐ yǐjīng méiyǒu jīqíng le. Wǒmen zhǐnéng
一起 已经 没有 激情 了。我们 只能
huíxiǎng guòqù. Nà gè shíhou wǒmen kuài 16
回想 过去。那个 时候 我们 快 16
suì le. Zài nà gè méiyǒu yuèguāng de yèwǎn,
岁 了。在 那个 没有 月光 的 夜晚，

wǒmen zài xuéxiào de cǎodì shàng, yōngbào zài
我们在学校的草地上，拥抱[1]在

yìqǐ, wǒ hěn jīnghuāng. Pángbiān de nà tiáo
一起，我很惊慌。旁边的那条

xiǎo lù shàng, chángcháng yǒu rén lùguò, tāmen
小路上，常常有人路过，他们

de shuōhuàshēng ràng wǒ gǎndào kǒngjù. Hǎo jǐ
的说话声让我感到恐惧。好几

cì wǒ dōu xiǎng pǎodiào. Zhǐshì yīnwèi wǒ bèi
次我都想跑掉。只是因为我被

nǐ jǐnjǐn bàozhù, wǒ cái méiyǒu pǎodiào. Nà
你紧紧抱住，我才没有跑掉。那

gè yèwǎn wǒ méi xiǎng zuò shénme. Kěshì
个夜晚我没想做什么。可是

hòulái, zài nà gè méiyǒu yuèguāng de yèwǎn,
后来，在那个没有月光的夜晚，

wǒ duì nǐ de shēntǐ chōngmǎnle hàoqíxīn.
我对你的身体充满了好奇心。

Wǒ de yùwàng háishi ràng wǒ jìnrùle nǐ
我的欲望[2]还是让我进入了你

de shēntǐ. 1977 nián qiūtiān de nà yí
的身体。1977年秋天的那一

rì, wǒ yǔ nǐ yìqǐ qùle 40 lǐ yǐwài
日，我与你一起去了40里以外

de nà gè yīyuàn. Zài zhīdao nǐ huáiyùn de
的那个医院。在知道你怀孕的

shíhou, wǒ tònghèn nà zhǐyǒu jǐ fēnzhōng de
时候，我痛恨[3]那只有几分钟的

kuàilè. Yùwàng chādiǎn huǐle wǒ. Zài hòulái
快乐。欲望差点毁[4]了我。在后来

1 **拥抱**: to hug
e.g. 他们很长时间没见面了，一见面就互相拥抱。

2 **欲望**: desire
e.g. 他赚钱的欲望很强。

3 **痛恨**: hate bitterly
e.g. 他最痛恨说假话的人。

4 **毁**: to ruin; to destroy
e.g. 你怎么弄的，毁了这么好的一本书！

hěn duō de rìzi li, wǒ xiǎngdàole zìshā
很多的日子里，我想到了自杀
yǔ táowáng. Yīnwèi, wǒmen hěn yǒu kěnéng bèi
与逃亡。因为，我们很有可能被
xuéxiào kāichú, bèi gǎnchū jiāmén. Rénmen dōu
学校开除，被赶出家门。人们都
huì zhīdao wǒmen de shìqing, wǒmen zuìhòu
会知道我们的事情，我们最后
zhǐnéng — zìshā."
只能——自杀。"

Nǚhái de shēngyīn zài 16 suì shí yǐjīng
女孩的声音在16岁时已经
gùdìng le. Xiànzài zhàngfu tiāntiān dōu yào tīngdào
固定[1]了。现在丈夫天天都要听到
tā de shēngyīn. Qīzi de shēngyīn shǐ tā yǐjīng
她的声音。妻子的声音使他已经
méiyǒule jīqíng. Yīncǐ, zài huánghūn li,
没有了激情。因此，在黄昏里，
zhàngfu miànduìzhe qīzi, gǎndào yuèláiyuè píjuàn.
丈夫面对着妻子，感到越来越疲倦[2]。
Qīzi hái zài zhīzhe nà tiáo lánsè de wéijīn.
妻子还在织着那条蓝色的围巾。
Tā de liǎn yīrán háishi guòqu de liǎn. Yǔ
她的脸依然还是过去的脸。与
guòqu bù yíyàng de shì, tā liǎnshang kāishǐ
过去不一样的是，她脸上开始
chūxiànle zhòuwén. Zhàngfu duì qīzi quèshí
出现了皱纹[3]。丈夫对妻子确实
shì tài liǎojiě le. Xiànzài qīzi kāishǐ zhùyì
是太了解了。现在妻子开始注意

1 **固定**: fixed
e.g. 他的工作很固定。
2 **疲倦**: wearied; tired
e.g. 今天他玩了一天，非常疲倦。
3 **皱纹**: wrinkle
e.g. 这些天她心情不好，脸上的皱纹也多了。

zhàngfu shuō de huà le .
丈夫 说 的 话 了。

Zhàngfu duì qīzi shuō : " Zài nǐ hái
丈夫 对 妻子 说:"在 你 还
méiyǒu shuōhuà de shíhou , wǒ jiù zhīdao nǐ
没有 说话 的 时候,我 就 知道 你
yào shuō shénme ; zài měi tiān zhōngwǔ shíyī diǎn
要 说 什么;在 每 天 中午 十一 点
bàn hé bàngwǎn wǔ diǎn de shíhou , wǒ zhīdao
半 和 傍晚 五 点 的 时候,我 知道
nǐ yào huí jiā le . Wǒ kěyǐ zài yìbǎi gè
你 要 回 家 了。我 可以 在 一百 个
nǚrén de jiǎobù shēng li , tīngchū nǐ de
女人 的 脚步 声 里,听出 你 的
shēngyīn . Ér wǒ duì nǐ láishuō , bù yě shì
声音。而 我 对 你 来说,不 也 是
tóngyàng ma ? "
同样 吗?"

Qīzi tíngzhù le , tā kāishǐ rènzhēn de
妻子 停住 了,她 开始 认真 地
kànzhe tā de zhàngfu .
看着 她 的 丈夫。

Zhàngfu jìxù shuō : " Yīncǐ wǒmen hùxiāng
丈夫 继续 说:"因此 我们 互相
dōu bù kěnéng shǐ duìfāng gǎndào jīngxǐ . Wǒmen
都 不 可能 使 对方 感到 惊喜[1]。我们
zuì duō zhǐnéng gěi duìfāng yìdiǎn gāoxìng , ér zhè
最 多 只能 给 对方 一点 高兴,而 这
zhǒng gāoxìng zài dàjiē shàng dàochù dōu yǒu . "
种 高兴 在 大街 上 到处 都 有。"

1 **惊喜**: be pleasantly surprised

e.g. 她惊喜地收到了大学的入学通知。

Zhè shí qīzi kāikǒu shuōhuà le. Tā shuō:
这时妻子开口说话了。她说：
"Wǒ míngbai nǐ de yìsi le."
"我明白你的意思了。"

Zhàngfu kàndào tā de yǎnlèi liú chūlai le.
丈夫看到她的眼泪流出来了。

Qīzi shuō: "Nǐ shì xiǎng bǎ wǒ yì jiǎo tīkāi."
妻子说："你是想把我一脚踢开[1]。"

Zhàngfu méiyǒu fǒurèn, érshì shuō: "Zhè huà duō nántīng."
丈夫没有否认[2]，而是说："这话多难听。"

Qīzi yòu chóngfù dào: "Nǐ xiǎng bǎ wǒ yì jiǎo tīkāi." Tā de yǎnlèi zài jìxù liúzhe.
妻子又重复道："你想把我一脚踢开。"她的眼泪在继续流着。

Zhàngfu shuō: "Zhè huà tài nántīng le. Ràng wǒmen zài huíxiǎng yíxià wǎngshì ba."
丈夫说："这话太难听了。让我们再回想一下往事吧。"

Qīzi wèn: "Shì zuìhòu yí cì ma?"
妻子问："是最后一次吗？"

Zhàngfu méiyǒu huídá tā de wèntí. Tā jìxù shuō: "Wǒmen de huíxiǎng cóng shénme shíhou kāishǐ ne?"
丈夫没有回答她的问题。他继续说："我们的回想从什么时候开始呢？"

**1 踢开**: kick away
e.g. 他一脚把门踢开，冲了进去。
e.g. 他有了一个情人，就想把他的妻子踢开了。

**2 否认**: to deny
e.g. 他否认他说过这件事。

Qīzi réngrán zhèyàng wèn: "Shì zuìhòu yí cì ba?"
妻子仍然这样问："是最后一次吧？"

Zhàngfu shuō: "Cóng 1977 nián de qiūtiān kāishǐ ba. Wǒmen zuòshàng nà liàng pòjiù de qìchē, qù 40 lǐ yǐwài de nà gè dìfang, qù jiǎnchá nǐ shìbushì yǐjīng huáiyùn. Nà gè shíhou wǒ kě zhēnshì sànghún-luòpò."
丈夫说："从1977年的秋天开始吧。我们坐上那辆破旧的汽车，去40里以外的那个地方，去检查你是不是已经怀孕。那个时候我可真是丧魂落魄[1]。"

Qīzi shuō: "Nǐ méiyǒu."
妻子说："你没有。"

Zhàngfu shuō: "Wǒ quèshí sànghún-luòpò le."
丈夫说："我确实丧魂落魄了。"

"Bù, nǐ méiyǒu sànghún-luòpò." Qīzi zàicì zhèyàng shuō, "Cóng wǒ rènshi nǐ dào xiànzài, nǐ zhǐyǒu yí cì sànghún-luòpò."
"不，你没有丧魂落魄。"妻子再次这样说，"从我认识你到现在，你只有一次丧魂落魄。"

Zhàngfu wèn: "Shénme shíhou?"
丈夫问："什么时候？"

"Xiànzài." Qīzi huídá shuō.
"现在。"妻子回答说。

1 **丧魂落魄**: be scared out of one's wits; be terror-stricken
e.g. 一看到警察，他就丧魂落魄。

This story is an abridged version of Yu Hua's short story *Love Story*. The original story is available on the Internet.

## About the author Yu Hua (余华):

Yu Hua is one of China's most celebrated writers. He was born in 1960. He spent his childhood and school years in Haiyan County in Zhejiang Province. He once worked as a dentist for five years. Now he lives in Beijing. He began his writing career in 1983. His four novels 在细雨中呼唤，活着，许三观卖血记 and 兄弟 are his most widely read and loved works, and 活着 and 许三观卖血记 were listed among last decade's ten most influential books in China. He has won many literature awards and prizes. His novella 活着 won the sixth Baihua Prize (百花奖) of *Fiction Monthly* (小说月报). Yu Hua was granted the Grinzane Cavour Literature Award in Italy in 1998, the James Joyce Award in Australia and Ireland in 2002, and the French Chevalier de l'Ordre des Arts et des Lettres in 2004 and the First Special Achievement Award of China in 2005. He was recognized as a great writer in the Discover Great New Writers program established by the Barnes and Noble of the US. 活着 was adapted into an award-winning movie by Zhang

Yimou. His works have been translated into many languages.

## 思考题：

1. 在 1977 年的秋天，男孩为什么那么害怕？
2. 女孩的心情与男孩有什么不一样？
3. 后来他们结婚了，丈夫是怎么看他的妻子的？
4. 妻子为什么总是编织她的蓝色围巾？
5. 丈夫认为他的最大的错误是什么？
6. 妻子的话不多，你觉得她对丈夫的感情怎么样？
7. 这个“爱情故事”反映了什么样的爱情观念？

责任编辑：刘小琳
英文编辑：韩芙芸　张　乐
封面设计：古　手
封面摄影：陆　瑜

图书在版编目（CIP）数据

汉语分级阅读．2000词 / 史迹编著．— 北京 ：华语教学出版社，2014.7
ISBN 978-7-5138-0730-2

Ⅰ．①汉… Ⅱ．①史… Ⅲ．①汉语－阅读教学－对外汉语教学－自学参考资料 Ⅳ．①H195.4

中国版本图书馆CIP数据核字（2014）第154687号

汉语分级阅读·2000词

史迹　编著

*



华语教学出版社有限责任公司出版
（中国北京百万庄大街24号　邮政编码100037）
电话：(86)10-68320585, 68997826
传真：(86)10-68997826, 68326333
网址：www.sinolingua.com.cn
电子信箱：hyjx@sinolingua.com.cn
新浪微博地址：http://weibo.com/sinolinguavip
北京京华虎彩印刷有限公司印刷
2007年（32开）第1版
2014年（32开）修订版
2019年修订版第5次印刷
ISBN 978-7-5138-0730-2
定价：49.00元